Español Santillana

Español Santillana **is a collaborative effort by two teams specializing in the design of Spanish-language educational materials. One team is located in the United States and the other in Spain.**

Editorial Staff in United States
Anne Smieszny
Ana Isabel Antón
Andrea Roberson

Editorial Staff in Spain
Susana Gómez
Cristina Núñez
Belén Saiz

Linguistic and Cultural Advisers in Latin America and in the United States

Antonio Moreno
Editorial Director, Santillana México

Mayra Méndez
Editorial Director, Santillana Puerto Rico

Luis Guillermo Bernal
Editorial Director, Santillana Guatemala

Cecilia Mejía
Editorial Director, Santillana Perú

Graciela Pérez de Lois
Editorial Director, Santillana Argentina

Manuel José Rojas
Editorial Director, Santillana Chile

Mario Núñez
Director of Professional Development, Santillana USA

Reviewers

Dr. Tamara Alsace
Buffalo, NY

Dr. Josefa Báez-Ramos
Seattle, WA

Mercedes Bernal
West New York, NJ

Miguel Castro
New Orleans, LA

Yvonne Davault
Mansfield, TX

Dr. Frances S. Hoch
Raleigh, NC

Petra Liz-Morell
Ridgefield Park, NJ

James Orihuela
Whittier, CA

Ana Sainz de la Peña
Allentown, PA

Eugenia Sarmiento
Centennial, CO

Thomasina White
Philadelphia, PA

Published in the United States of America.

Español Santillana
Student Book Level 1A
ISBN-13: 978-1-61605-071-9
ISBN-10: 1-61605-071-3

Illustrators: **Bartolomé Seguí, Jorge Arranz**
Picture Coordinator: **Carlos Aguilera**

Cartographer: **Tania López**
Cartographic Coordinator: **Ana Isabel Calvo**

Production Manager: **Ángel García Encinar**

Production Coordinator: **Lourdes Román**

Design and Layout: **Marisa Valbuena, Javier Pulido, Alfonso García, Fernando Calonge**

Proofreaders: **Gerardo Z. García, Jennifer Farrington, Arturo Cobos, Lawrence Lipson**

Photo Researchers: **Mercedes Barcenilla, Amparo Rodríguez**

Santillana USA Publishing Company, Inc.
2023 NW 84th Avenue, Doral, FL 33122

Printed in USA

14 13 12 11 10   1 2 3 4 5 6 7 8 9 10

Writers

Dr. Miguel Santana

received his PhD in Hispanic literature at the University of Texas–Austin. Dr. Santana has taught Spanish at the elementary, high school, and college levels, and has worked as a Spanish editor and writer for numerous educational publishers in the United States. Miguel Santana is also an author of several novels.

Dr. Lori Langer de Ramírez

received her doctorate in curriculum and teaching from Teacher's College, Columbia University. She is chairperson of the ESL and World Language Department for Herricks Public Schools, New York. Dr. Langer de Ramírez is the recipient of many prestigious awards.

Eduardo Fernández Galán

received his *Licenciatura en Lingüística Hispánica* from the Universidad Complutense de Madrid. He has taught Spanish at Montgomery High School in Montgomery, New Jersey, and The College of New Jersey in Ewing.

Dr. Michele Guerrini

received her PhD in Romance languages from the University of Pennsylvania. She has worked as director of bilingual and EFL departments at Richmond Publishing in Spain and as an adjunct assistant professor of Spanish at The George Washington University in Washington, DC.

Cristina Núñez Pereira

received her *Licenciatura en Filología Hispánica* from the Universidad Nacional de Educación a Distancia and is a *Licenciada en Periodismo* from the Universidad Carlos III de Madrid.

Belén Saiz Noeda

received her *Licenciatura en Filología Hispánica* from Universidad de Alicante. She was a professor of Spanish language and culture and was in charge of Spanish teacher education at the Universidad de Alcalá and at other institutions.

María Inés García

received her masters in Spanish from Texas A & I University. She is a former director of the Languages Other Than English program for the Texas Education Agency, and was the Spanish specialist with the agency for 26 years.

María J. Fierro-Treviño

received her MA from the University of Texas–San Antonio. She was the director of Languages Other Than English program for the Texas Education Agency. She has taught Spanish at the secondary and college levels, and has worked as an instructional specialist, and as a presenter of professional-development seminars.

Contributors

Janet L. Glass
Dwight-Englewood School, Englewood, NJ

Dr. Frances S. Hoch
Raleigh, NC

Jan Kucerik
Pinellas County Schools Largo, FL

Dr. Dave McAlpine
University of Arkansas–Little Rock, Little Rock, AR

Maria Elena Messina
Adrian C. Wilcox High School, Santa Clara, CA

Dr. Gerardo Piña-Rosales
North American Academy of the Spanish Language, The City University of New York (CUNY) Lehman and Graduate Center, New York, NY

Advisers

Trina M. Gonzales-Alesi
John Glenn Middle School of International Studies, Indio, CA

Paula Hirsch
Windward School, Los Angeles, CA

María Orta
Kennedy High School, Chicago, IL

Nina Wilson
Murchison Middle School, Austin, TX

Developmental Editor
Susana Gómez

Editorial Coordinator
Anne Smieszny

Editorial Director
Enrique Ferro

Welcome to

The pairs

Andy Douglas y Janet Douglas

Tess Williams y Patricia Williams

Guatemala | Perú | Buscar

Español Santillana

Who we are

We are four pairs of fans of the Spanish language and of Hispanic cultures. Our objective is to get to know the Spanish-speaking world: its people, its landscapes, its cities, its customs, and its traditions. That's why we've created the website Fans del Español.

What we do

To reach our goal, we are going to travel to different Spanish-speaking countries with special missions: to find the most surprising place, the most fun customs and traditions, the most original recipe, and so on. In each country, we will take on Desafíos (challenges) that each pair will try to complete. Will we succeed?

You can follow our adventures through this book and on the website www.fansdelespañol.com.

Rita Delgado y Diana Robles

Tim Taylor y Mack Taylor

The countries of the challenges

What countries are the pairs going to visit? Let's find out. Do these activities.

1. Look at the photos and investigate. In which countries are these places located?
2. Look at the map and answer. What countries share borders with the countries represented by the photos?
3. Leaf through the book. What color corresponds to each country?

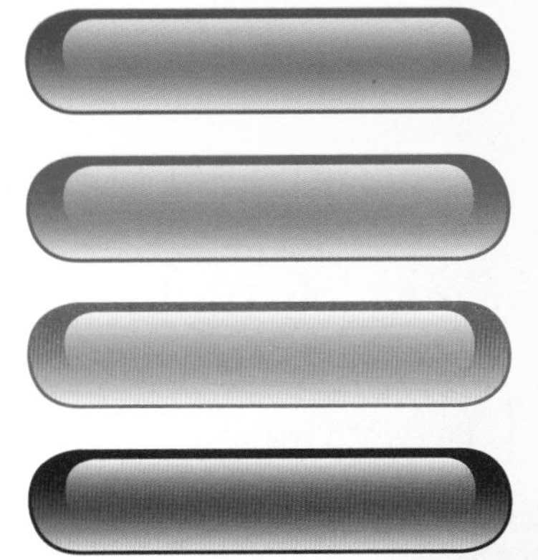

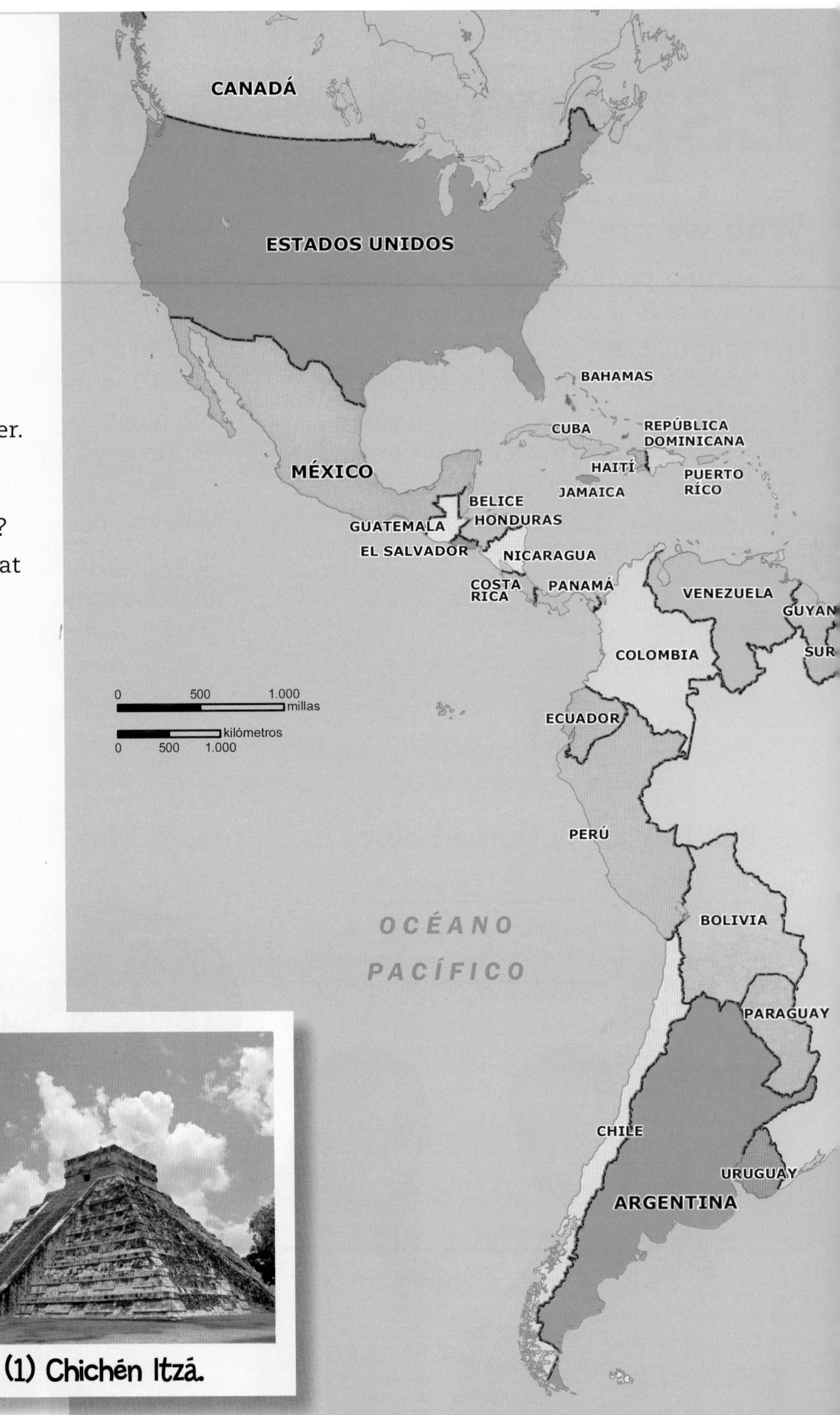

(1) Chichén Itzá.

(2) El Viejo San Juan.

(3) Antigua.

(4) Machu Picchu.

Your participation counts!

1. Your vote decides the winner

In these challenges, you are going to play an important role. You will accompany us to each country. Pay close attention, because you are going to form part of the judging panel. In each country, you will evaluate which pair has done the best job or which task is the most interesting. Each time, you will help to decide the winning team.

2. Your challenge

You will also have your own challenge: TU DESAFÍO. During the course of the year, you will be able to accumulate points toward your challenge. To do this, watch for this symbol:

When you see it, go to the *Fans del español* website. Just by participating, you will earn points. If at the end of the course you have accumulated enough points, you too will have won your challenge!

Contents

Gramática	Cultura	
• The verb *tener* • Expressing possession: - Possessive adjectives - The preposition *de* • The verb *estar*	• *Mapa cultural:* Mexico • The deserts and cities in the north: *los corridos* • Mexico City: Tenochtitlan • The central region: Guanajuato	• The south: the indigenous population • *Lectura: Teotihuacán, ciudad de los dioses*
• Regular *-er* and *-ir* verbs, present tense • Expressing obligation: - *Tener que* + infinitive - *Hay que* + infinitive • Adverbs of frequency	• *Mapa cultural:* Puerto Rico • Old San Juan • *El Yunque* National Forest • Salsa, the essence of Puerto Rico • The U.S. and Puerto Rico	• *Lectura: El Morro: Blog de viajes*
• Demonstratives • Comparison. Comparative adjectives • Stem-changing verbs (*o* > *ue*)	• *Mapa cultural:* Guatemala • The great Mayan city of Tikal • The quetzal, national bird of Guatemala • Rigoberta Menchú: the fight for peace	• The marimba: the sound of Guatemala • *Lectura: Desde Chichicastenango*
• Direct object pronouns • Indirect object pronouns • Stem-changing verbs (*e* > *i*)	• *Mapa cultural:* Peru • The Incas, kings of the mountains • The Nazca lines • The *caballitos de totora* • Arequipa: a European city	• *Lectura: Festividad inca del Inti Raymi*

Unidad 1

México

Empiezan los desafíos

DESAFÍO 3

DESAFÍO 4

Video Program

Videos

- México. Empiezan los desafíos
- La casa de Frida Kahlo
- Los voladores de Papantla
- Mapa cultural de México

Audiovisuales

En la Ciudad de México

El fan del fútbol

Es una mujer creativa

La quinceañera

¡Estamos nerviosos!

www.fansdelespañol.com

Puerto Rico

Desafíos en el Caribe

DESAFÍO 3

DESAFÍO 4

Video Program

Videos

- Puerto Rico. Desafíos en el Caribe
- El Viejo San Juan
- La bahía bioluminiscente de Vieques
- Mapa cultural de Puerto Rico

Audiovisuales

En San Juan

La casa más colorida

Los coquíes en la casa

¿Quién prende la luz?

Las cuevas de Camuy

www.fansdelespañol.com

Unidad 3

Guatemala

Desafíos en Centroamérica

DESAFÍO 3

DESAFÍO 4

Video Program

Videos

- Guatemala. Desafíos en Centroamérica
- Antigua
- El mercado de Chichicastenango
- Mapa cultural de Guatemala

Audiovisuales

En Antigua

La máscara de jade

Vamos de compras

Tres trajes típicos

Un mercado especial

www.fansdelespañol.com

Unidad 4

Perú

Desafíos en los Andes

DESAFÍO 1

DESAFÍO 2

DESAFÍO 3

DESAFÍO 4

Video Program

Videos

- Perú. Desafíos en los Andes
- Iquitos
- Lima
- Mapa cultural de Perú

Audiovisuales

En Lima

¡A cocinar pescado!

Seco de carne

Un ceviche para todos

Suspiro limeño

www.fansdelespañol.com

Unidad

preliminar

Primeros pasos

Before we begin, you must be prepared. In order to get ready, you are going to take an intensive survival course. In it, you will learn to say some basic things in Spanish. That way, you'll be ready for your challenges. GOOD LUCK!

CRASH COURSE

1. Spell and pronounce Spanish words.
2. Say someone's name and give your name.
3. Say goodbye and use expressions of politeness.
4. Name objects in your classroom.
5. Learn classroom phrases.
6. Ask questions.
7. Say the day and the date.
8. Talk about school subjects and say the time.
9. Talk about the weather and the seasons.
10. Know some reasons to learn Spanish.
11. Know where Spanish is spoken.
12. Use some learning strategies.

Deletrear y pronunciar palabras del español

We're going to Teotihuacan. How do you spell that?

EL ALFABETO ESPAÑOL

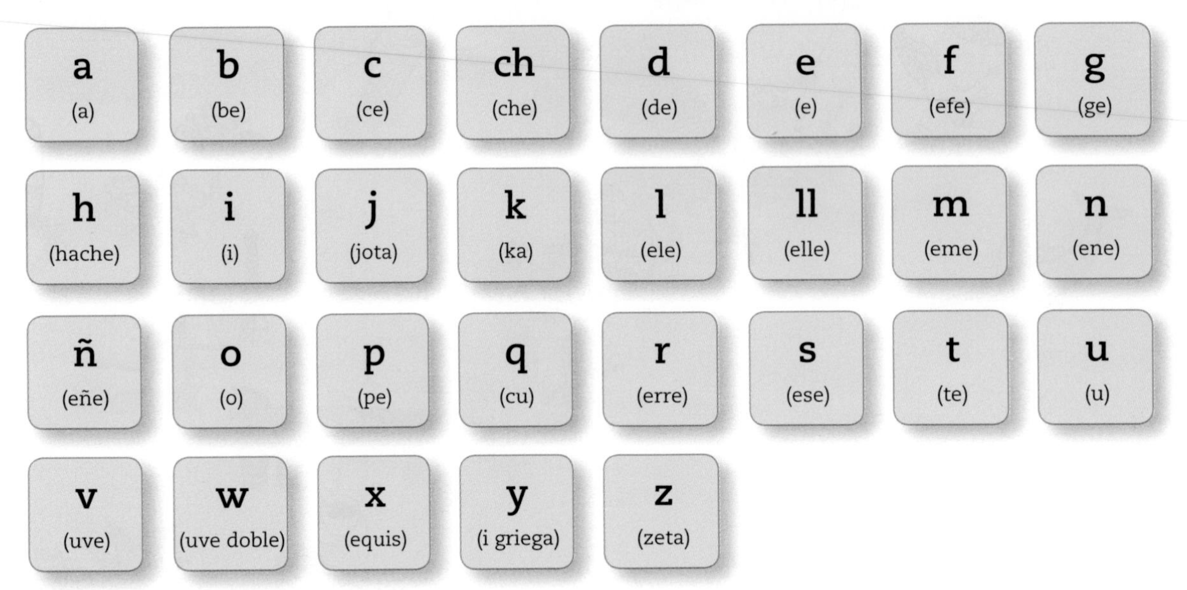

Pronunciación de las letras del español

- The five vowels in Spanish (a, e, i, o, u) are always pronounced the same way.
- The double letters ch (che) and ll (elle) represent a single sound.

  chico llave
- The letter h is silent. Thus the words hola and ola are pronounced the same way.

1 El alfabeto español

▶ **Escucha y repite.** Listen to the alphabet and repeat the names of the letters.

2 ¿Cómo se escribe?

▶ **Escucha y ordena.** Listen to how these words are spelled and put the words in order based on what you hear.

a. hola
b. gracias
c. mañana
d. adiós
e. chocolate
f. llama
g. vista
h. pizarra

▶ **Habla y adivina.** Play a spelling game with a partner. Choose a person in the room and spell his or her name. Can your partner guess the name you are spelling?

Pronunciación de *gue, gui*

The letter u is silent in the syllables gue, gui. In these syllables, gu sounds like the letter g in ga, go, gu.

hambur**gue**sa **gui**tarra

3 La *u* muda: gue, gui

▶ **Escucha y repite.** Listen and repeat these words.

1. gato
2. guitarra
3. guantes
4. amigos
5. espaguetis

Pronunciación de *que, qui*

The letter u is also silent in the syllables que, qui. In these syllables, qu is pronounced like the letter c in ca, co, cu.

queso es**qui**ar

4 La *u* muda: que, qui

▶ **Lee y señala.** Copy these words in your notebook. Then read them aloud and circle the letters that represent the /k/ sound.

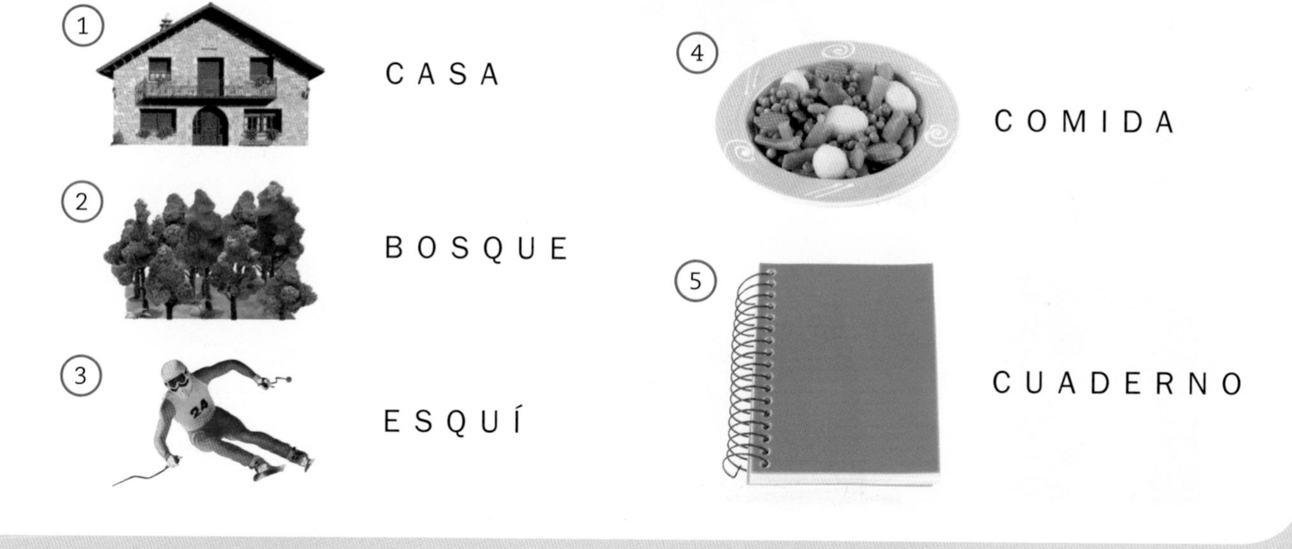

Saludos y presentaciones

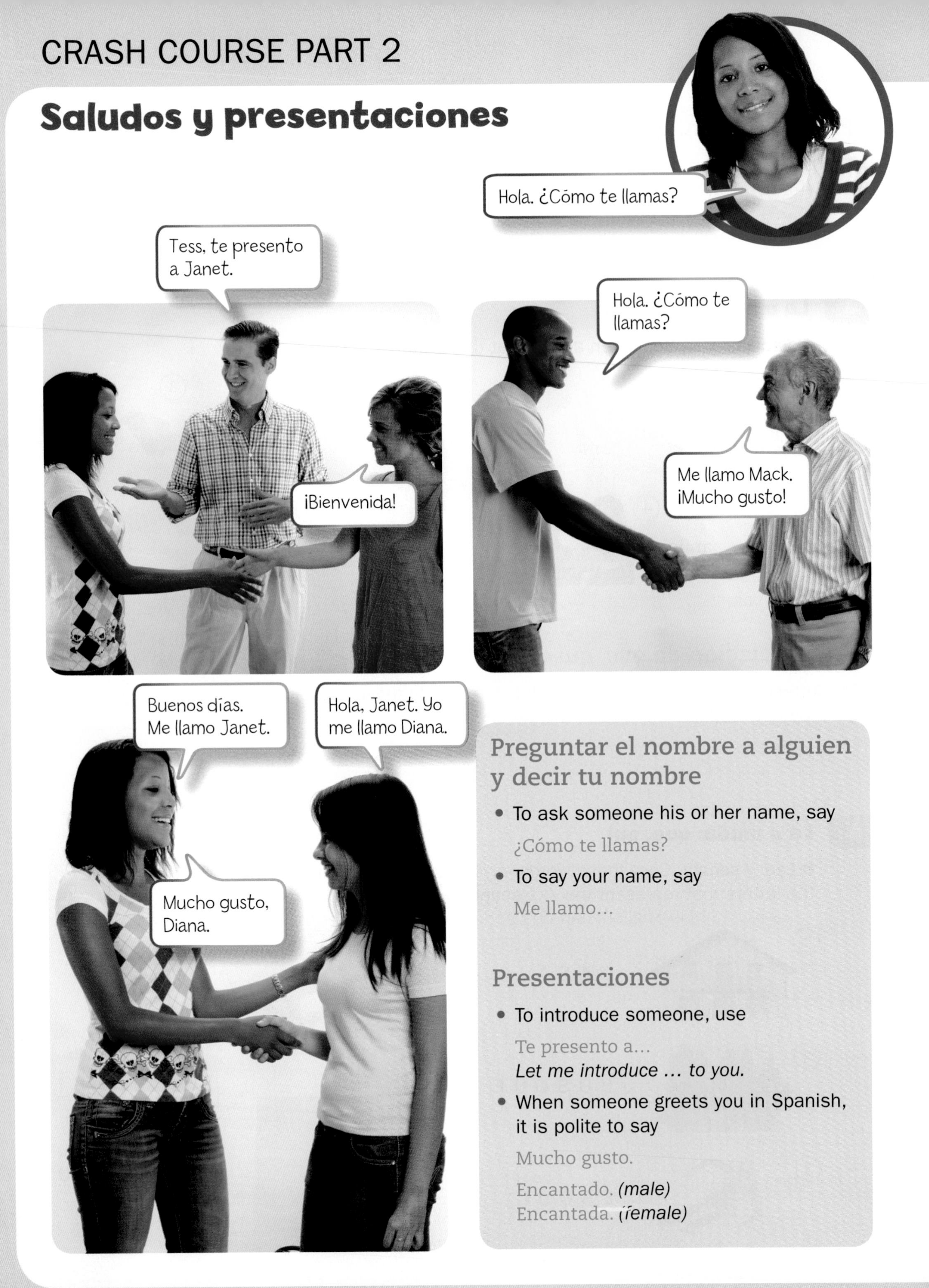

Preguntar el nombre a alguien y decir tu nombre

- To ask someone his or her name, say
  ¿Cómo te llamas?
- To say your name, say
  Me llamo…

Presentaciones

- To introduce someone, use
  Te presento a…
  Let me introduce … to you.
- When someone greets you in Spanish, it is polite to say
  Mucho gusto.
  Encantado. *(male)*
  Encantada. *(female)*

5 ¿Cómo te llamas?

▶ **Completa.** Read the dialogues and fill in the blanks with the phrases in the box.

~~Hola~~	Me llamo	Te presento a	Encantada	¿Cómo te llamas?	Mucho gusto

1. – Hola . ¿Cómo te llamas?
   – 1 Ángel.
   –Mucho gusto, Ángel.
2. –¡Hola! 2
   –Me llamo Berta.
   –Encantada. Yo me llamo Alicia.
3. –Hola, Manuel. 3 Jaime.
   –Hola, Jaime. Encantado.
   – 4 .
4. –¿Cómo te llamas?
   –Me llamo Juan.
   – 5 , Juan. Yo me llamo Ana.

▶ **Habla.** Introduce yourself to a partner in Spanish.

Saludos

- Spanish, like English, uses different greetings at different times of the day.

Buenos días **Buenas tardes** **Buenas noches**

Hola

- Hola (similar to *hi* in English) can be used at any time of the day.

6 ¿Buenos días o buenas tardes?

▶ **Habla.** What Spanish greetings would you use at each of these times?

1. 9:30 a. m.
2. 10:00 p. m.
3. 7:15 p. m.
4. 6:30 a. m.
5. 2:45 p. m.

7 Mucho gusto

▶ **Escribe y actúa.** With a partner, write a dialogue similar to those in activity 5. Then memorize it and act out the situation in front of the class.

Despedidas y expresiones de cortesía

Adiós... y otras despedidas

- To say goodbye in Spanish, use

  adiós *goodbye*

  chao *goodbye* (informal)

- In addition, you can say goodbye using the word hasta:

  hasta pronto *see you soon*

  hasta mañana *see you tomorrow*

  hasta luego *see you later*

  hasta la vista *see you*

8 Despedidas

▶ **Habla.** In a small group, take turns saying goodbye, using different expressions.

Modelo A. *Adiós, Katherine.*
B. *Adiós, Wendy, hasta pronto.*

Expresiones de cortesía

To be polite in Spanish, you can use phrases like these:

–¿Quieres un café?

–Sí, **gracias**.

–**De nada**.

–Do you want some coffee?

–Yes, thank you.

–You're welcome.

–**Por favor**, ¿tienes un lápiz?

–No, **lo siento**.

–Do you have a pencil, please?

–No, I'm sorry.

9 Por favor...

▶**Une.** Match the statements in column A with an appropriate answer in column B.

A	B
1. ¿Quieres un café?	a. No, lo siento.
2. Gracias.	b. No, gracias. Prefiero un té.
3. ¿Tienes un lápiz, por favor?	c. Adiós.
4. Hasta mañana.	d. Sí, por favor. Me gusta el chocolate.
5. ¿Quieres chocolate?	e. De nada.

10 Saludos rápidos

▶**Habla.** Sit facing a partner. Within one minute, each person should say the following:

– A greeting – An introduction – A goodbye

When the minute is up, one partner moves to the next pair of desks to repeat the activity.

El salón de clase

11 Material escolar

▶ **Clasifica.** Write three words from each category in your notebook.

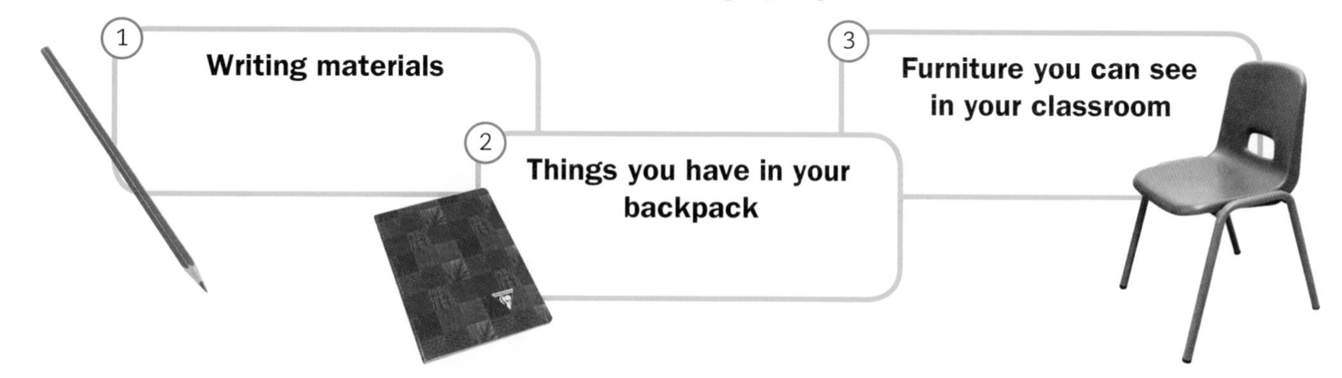

12 Palabras revueltas

▶ **Encuentra y relaciona.** How is your spelling? Unscramble the words. Then match each one with the corresponding photo.

1. zirapra
2. gíblorofa
3. orudcane
4. iccdroinaio

A 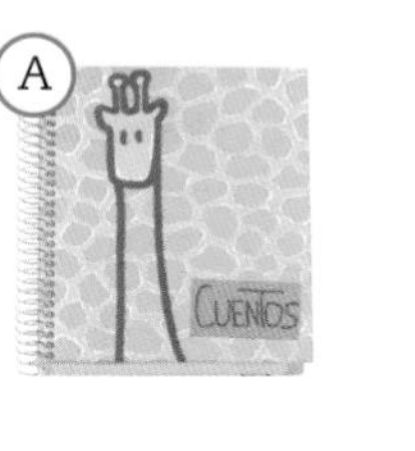

B

C 

D 

13 Juegos del salón de clase

▶ **Habla y señala.** Who is the fastest at identifying things? In a group, take turns naming items in the picture. The first person to point to the correct item says the next word.

Expresiones habituales en el salón de clase

These are some expressions that I use when I teach Spanish. My students understand all of them. Do you?

14 ¿Comprendes?

Une. Match each instruction with its meaning.

A	B
1. Saquen sus cuadernos.	a. Open your books.
2. Cierren los libros.	b. Give me your papers.
3. Escriban un texto.	c. Close your books.
4. Abran los libros.	d. Take out your notebooks.
5. Entreguen sus papeles.	e. Write a text.

Escucha y completa. Listen to the teacher's instructions and complete them.

1. ______ sus libros. 2. ______ los cuadernos. 3. ______ en sus cuadernos.

15 Instrucciones del libro

▶ **Relaciona.** What is each student doing? Match each instruction with the corresponding picture.

▶ **Relaciona.** Match each word with the corresponding activity below.

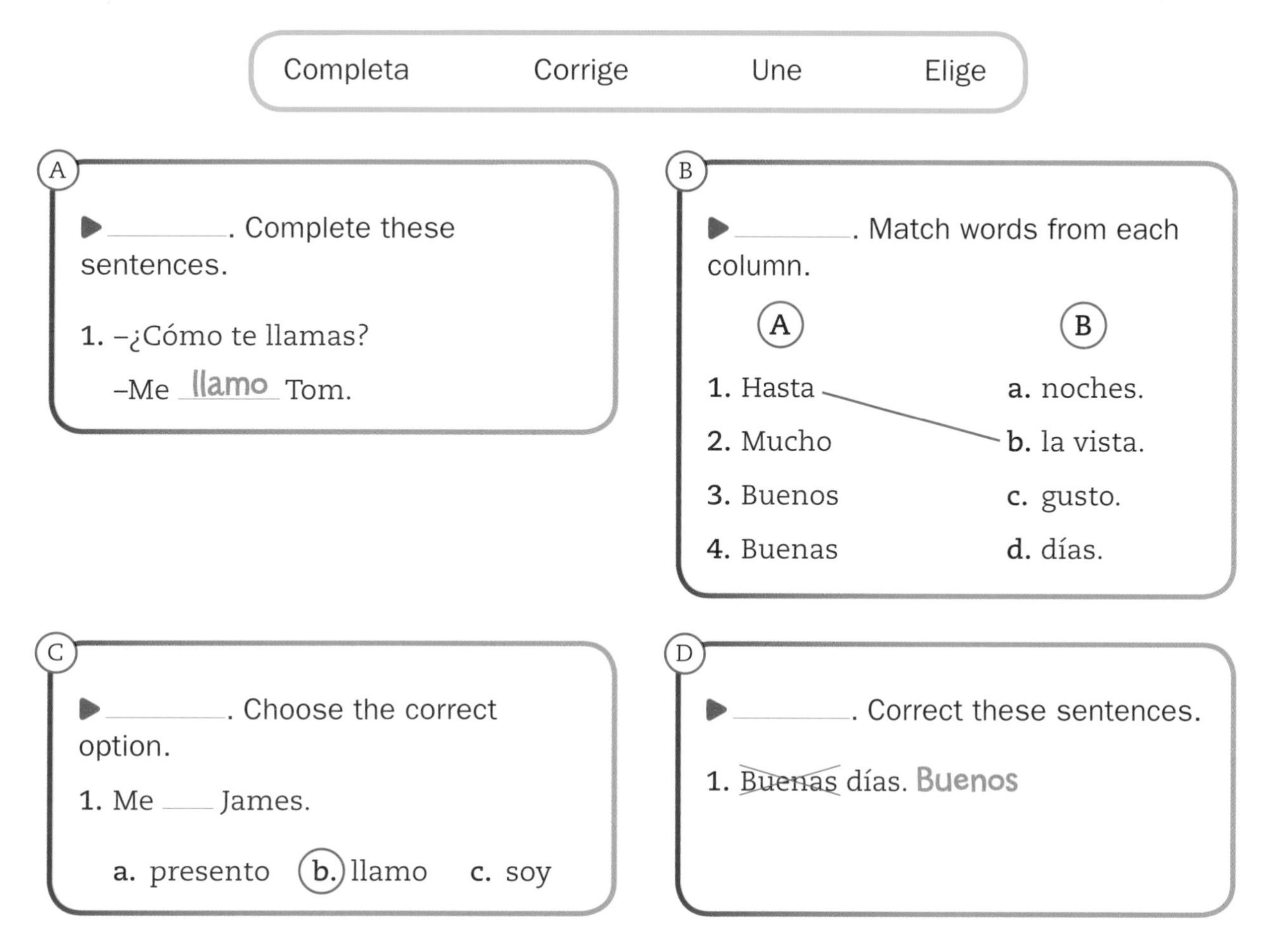

Completa Corrige Une Elige

A

▶ ________. Complete these sentences.

1. –¿Cómo te llamas?
   –Me llamo Tom.

B

▶ ________. Match words from each column.

A	B
1. Hasta	a. noches.
2. Mucho	b. la vista.
3. Buenos	c. gusto.
4. Buenas	d. días.

C

▶ ________. Choose the correct option.

1. Me ____ James.

   a. presento (b.) llamo c. soy

D

▶ ________. Correct these sentences.

1. ~~Buenas~~ días. Buenos

▶ **Habla y representa.** How good an actor or actress are you? Give six commands to two partners. Your partners act them out. Then switch roles.

Hacer preguntas

Do you know how to ask questions in Spanish?

Hacer preguntas (I)

- When in Spanish we ask questions that can be answered with sí or no, we put the verb at the beginning of the sentence.

  –¿Estudias español? *–Do you study Spanish?*
  –Sí. *–Yes.*

  –¿Tienes un cuaderno? *–Do you have a notebook?*
  –No, lo siento. *–No, I'm sorry.*

- Notice that we use both an opening and a closing question mark when we write a question.

16 Preguntas y respuestas

Habla. With a partner, ask questions and answer them.

Modelo A. *¿Tienes un lápiz?*
B. *No, lo siento.*

Preguntas		Respuestas
¿Tienes	un lápiz? un libro? un bolígrafo? una mochila? una computadora?	**Sí.** **No, lo siento.**

Hacer preguntas (II): los interrogativos

To ask questions, you can use question words *(interrogativos)* before the verb.

¿**Quién** es Alan? → ***Who*** *is Alan?*
¿**Qué** significa *lápiz*? → ***What*** *does* lápiz *mean?*
¿**Dónde** está el diccionario? → ***Where*** *is the dictionary?*
¿**Cuándo** es la clase de Español? → ***When*** *is the Spanish class?*
¿**Cómo** se dice *please* en español? → ***How*** *do you say* please *in Spanish?*

17 Detective de palabras

▶ **Completa.** Complete the dialogues with the appropriate question words.

1. –¿ Cómo se dice *pencil* en español?
   –Se dice *lápiz*.
2. –¿________ está el libro?
   –Está en la mochila.
3. –¿________ significa *pizarra*?
   –Significa *blackboard*.
4. –¿________ es tu profesor de Español?
   –Es Antonio Ortiz.
5. –¿________ es el examen?
   –Esta tarde.

Días y fechas

It's time to organize this grand adventure. When do we leave and how long will we be gone?

AGOSTO

lunes Monday	martes Tuesday	miércoles Wednesday	jueves Thursday	viernes Friday	sábado Saturday	domingo Sunday
	1 uno	2 dos	3 tres	4 cuatro	5 cinco	6 seis
7 siete	8 ocho	9 nueve	10 diez	11 once	12 doce	13 trece
14 catorce	15 quince	16 dieciséis	17 diecisiete	18 dieciocho	19 diecinueve	20 veinte
21 veintiuno	22 veintidós	23 veintitrés	24 veinticuatro	25 veinticinco	26 veintiséis	27 veintisiete
28 veintiocho	29 veintinueve	30 treinta	31 treinta y uno			

Los meses del año

enero	febrero	marzo	abril	mayo	junio
julio	agosto	septiembre	octubre	noviembre	diciembre

18 El calendario

▶ **Contesta.** Answer these questions.

1. Which months have names that are almost the same in both Spanish and English?
2. What day does a Spanish week start on? Is it the same in the calendar you know? Compare the Spanish calendar and the calendar you use.

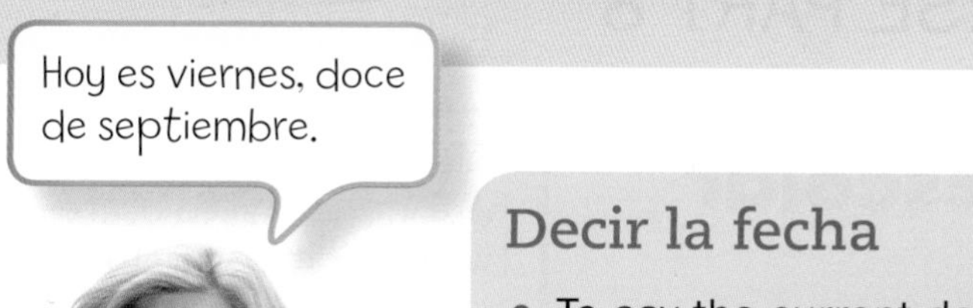

Decir la fecha

- To say the current date, say
  Hoy es viernes, doce de septiembre.
- To say another date, say
  El quince de octubre.
  El domingo.
- In America it is common to say Hoy es el primero de septiembre instead of Hoy es uno de septiembre.
- Notice that in Spanish, the names of days and months are written in lowercase.

19 ¿Qué día es hoy?

▶ **Escribe.** Write the dates in Spanish.

Modelo Tuesday, May 15 ⟶ *Hoy es martes, quince de mayo.*

1. Sunday, March 5
2. Wednesday, September 17
3. Saturday, July 7
4. Friday, October 11
5. Monday, January 22
6. Thursday, August 2

20 Fiestas importantes

▶ **Relaciona.** Match each holiday picture with the date it is celebrated.

1

2
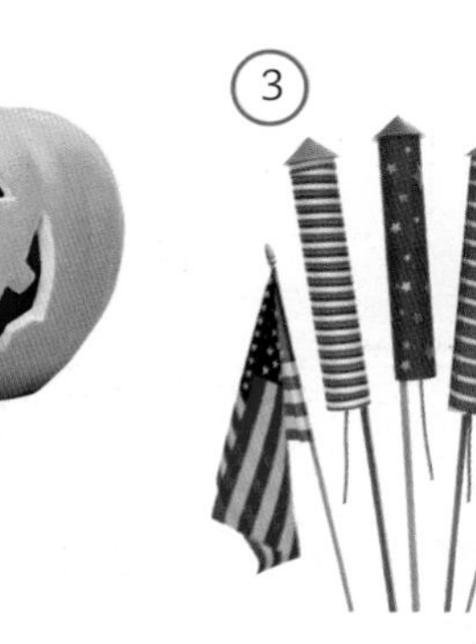

3

- el veinticinco de diciembre
- el cuatro de julio
- el treinta y uno de octubre

21 Los cumpleaños

▶ **Habla.** In a group, find out each person's birthday.

Modelo A. *¿Cuándo es tu cumpleaños?*
B. *Es el tres de junio.*

▶ **Clasifica y escribe.** Put the dates in chronological order to make a class birthday calendar. Do it in Spanish!

El horario escolar

This is my schedule at my school here in the United States. I wonder if it is similar to schools in other countries ...

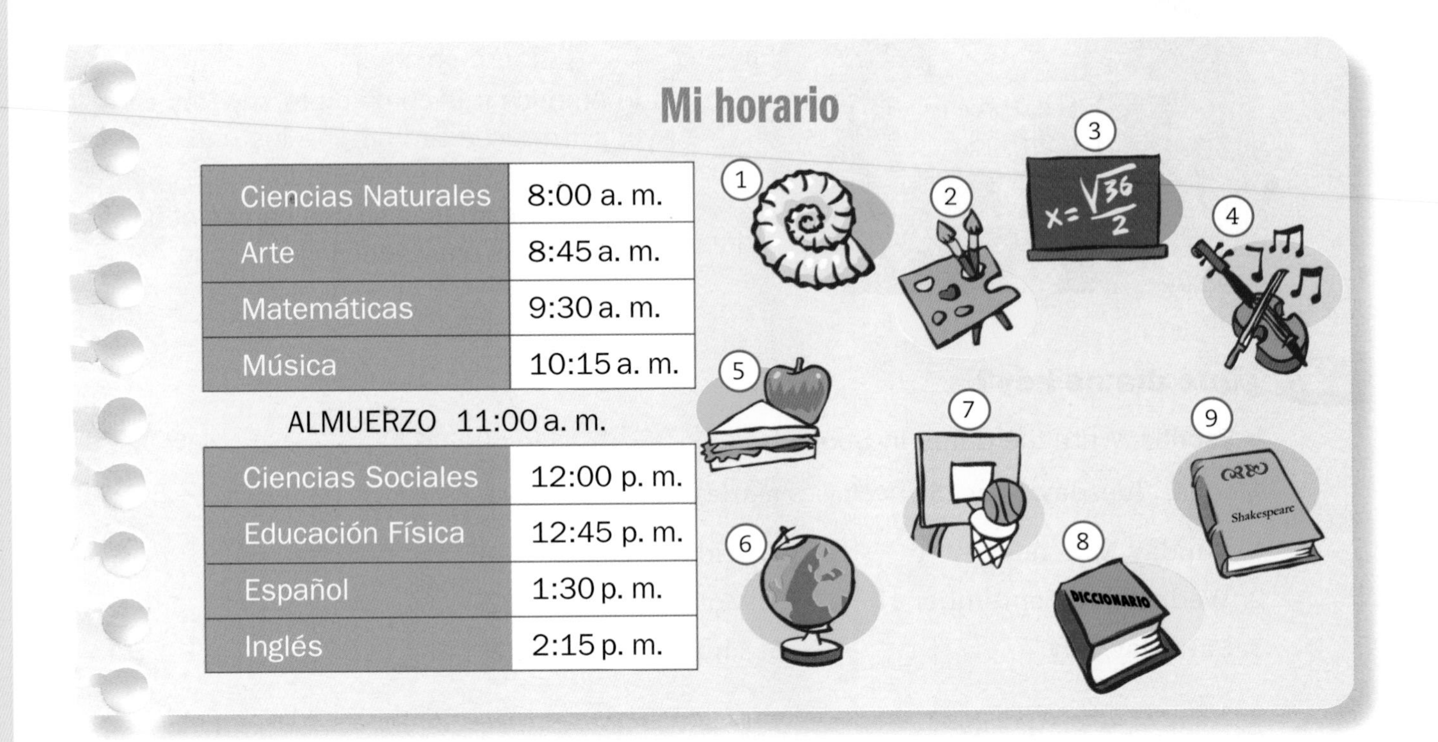

Mi horario

Ciencias Naturales	8:00 a. m.
Arte	8:45 a. m.
Matemáticas	9:30 a. m.
Música	10:15 a. m.
ALMUERZO	11:00 a. m.
Ciencias Sociales	12:00 p. m.
Educación Física	12:45 p. m.
Español	1:30 p. m.
Inglés	2:15 p. m.

22 Mi horario de clases

▶**Identifica.** Andy has bought some school supplies. Say which classes they are for.

Decir la hora

¿Qué hora es?

Es la una.

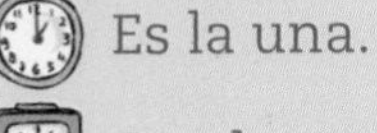

Son las tres.

Son las tres **y** cuarto.

Son las tres **y** media.

Son las cuatro **menos** cuarto.

Decir a qué hora sucede algo

¿A qué hora es...?

A la una.

A las cinco.

A las cinco **y** cuarto.

A las cinco **y** media.

A las seis **menos** cuarto.

23 Janet tiene preguntas

▶ **Completa.** Read Andy's schedule (page 16) again and complete the sentences.

1. La clase de Ciencias Naturales es a las ______
2. El almuerzo es a las ______
3. La clase de ______ es a las doce.
4. A las nueve menos cuarto es la clase de ______
5. A las nueve y media es la clase de ______

24 ¿Qué hora es?

▶ **Escribe.** Can you say what time it is?

Modelo 8:00 ⟶ *Son las ocho.*

25 El horario de Tess

▶ **Escucha.** Tess is describing her schedule to Andy. Listen and match each subject with the time her class begins.

A	B
1. Matemáticas	a. A las 1:30 p. m.
2. Arte	b. A las 9:15 a. m.
3. Ciencias Sociales	c. A las 2:00 p. m.
4. Educación Física	d. A las 8:15 a. m.
5. Español	e. A las 12:45 p. m.

26 Frases dibujadas

▶ **Completa.** Tim has used some pictures instead of words in this paragraph. Rewrite the paragraph, filling in the words for each image.

27 Tu horario

▶ **Escribe.** Use Andy's schedule as a model to write your ideal class schedule.

▶ **Habla y escribe.** Tell your partner your ideal schedule. Your partner should write it down.

Modelo Ciencias Sociales ⟶ *A las ocho.*

El tiempo y las estaciones

It's so hot at my school today! I wonder what the weather will be like in the countries we visit.

¿Qué tiempo hace?

Las estaciones del año

28 Las estaciones

▶**Une.** What's the weather like in your town during the four seasons? Match the two columns to form sentences.

A	B
1. En invierno...	a. hace calor.
	b. nieva.
2. En primavera...	c. llueve.
	d. hace frío.
3. En verano...	e. está nublado.
	f. hace sol.
4. En otoño...	g. hace viento.

▶**Compara y habla.** Compare your answers with your partner's. Do they all match?

▶**Dibuja y escribe.** Show today's weather in your area by drawing a picture. Then describe the scene in Spanish.

29 ¿Qué tiempo hace?

▶ **Escribe.** Use the map to complete the sentences.

1. En la Ciudad de México hace ______
2. En Lima hace ______
3. En Guatemala ______
4. En San Juan de Puerto Rico ______

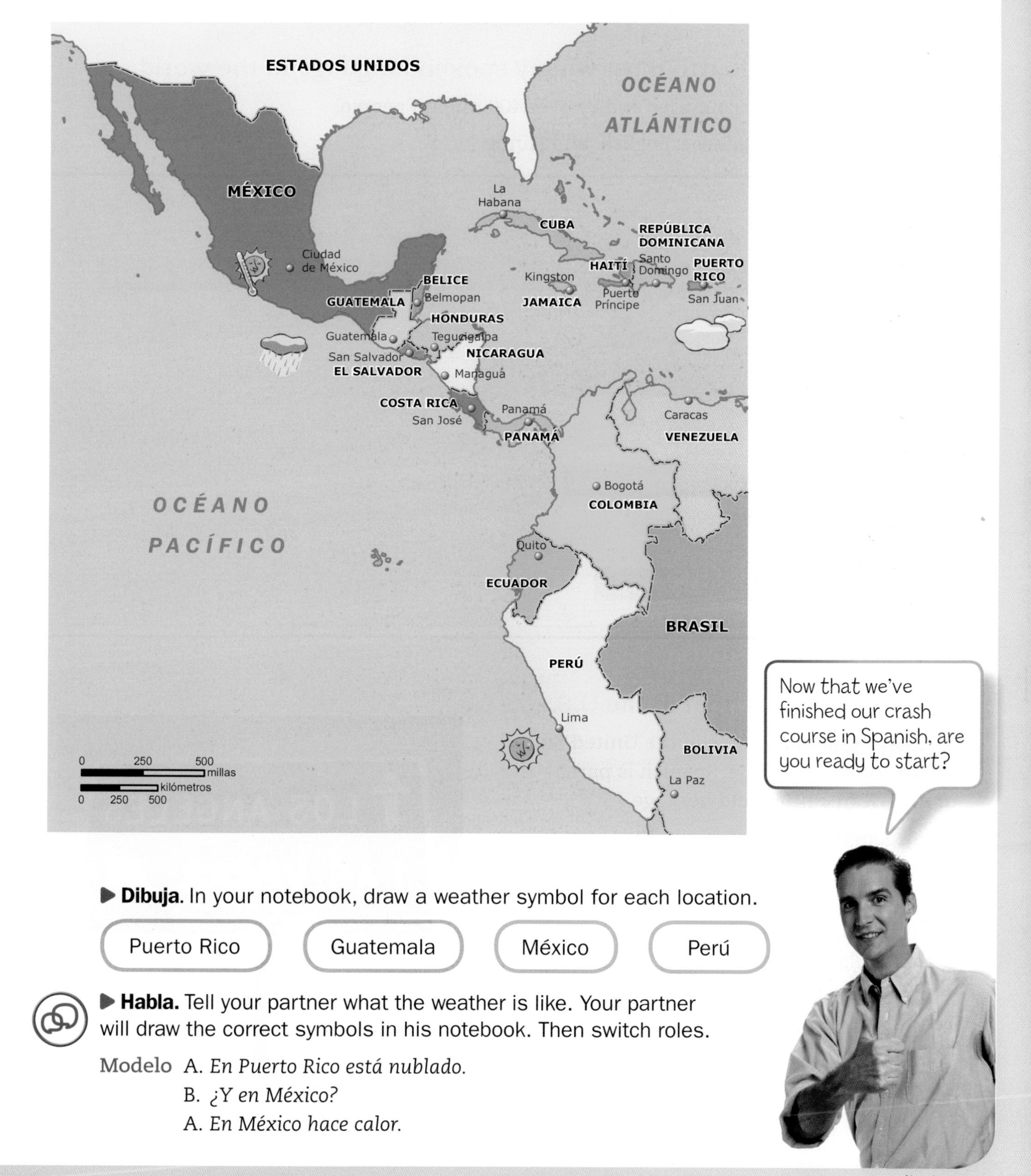

▶ **Dibuja.** In your notebook, draw a weather symbol for each location.

Puerto Rico | Guatemala | México | Perú

▶ **Habla.** Tell your partner what the weather is like. Your partner will draw the correct symbols in his notebook. Then switch roles.

Modelo A. *En Puerto Rico está nublado.*
B. *¿Y en México?*
A. *En México hace calor.*

Tres razones para aprender español

Before we begin, it is important that you know why learning Spanish is useful. Here are three reasons.

1. Spanish is the fourth most widely spoken language in the world.

It is spoken in over 20 countries and by over 400 million people.

It ranks fourth after Chinese, English, and Hindi.

chino

inglés

hindi

español

2. Spanish is essential in the U.S.

In 2007, 34 million people in the United States spoke Spanish at home. Spanish is part of American culture and heritage.

Many geographical features in the United States have Spanish names:

- States: Florida, Colorado, Nevada.
- Cities: Los Ángeles, San Antonio, Santa Clara, Sacramento.
- Rivers: Río Grande.
- Mountains: Sierra Nevada.

Cartel en una autopista (California, Estados Unidos).

3. Spanish allows you to discover other cultures.

You are going to learn a language that will enable you to discover aspects such as the music, customs, food, and celebrations of other cultures.

Fiesta de las Fallas (Valencia, España).

Tienda de mates (Argentina).

Celebración del Día de Muertos (México).

And a fourth reason ...

Spanish allows you to communicate with people from other countries and cultures. Whom can you communicate with in Spanish in your daily life?

- ☐ With your family.
- ☐ With your neighbors.
- ☐ With your friends.
- ☐ With teachers or students at school.
- ☐ With people in your community.
- ☐ In other situations: ______

El español en el mundo

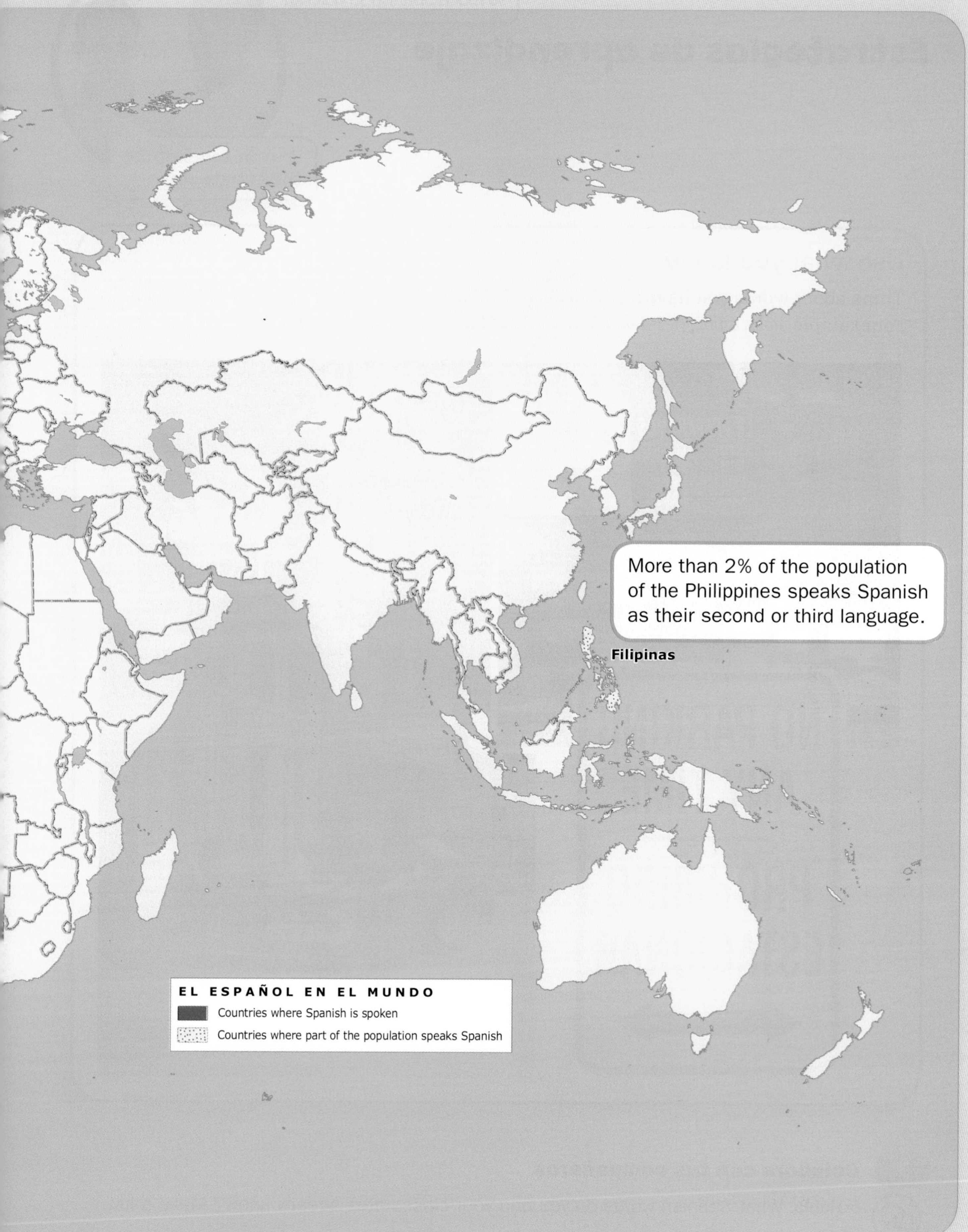

More than 2% of the population of the Philippines speaks Spanish as their second or third language.

Filipinas

EL ESPAÑOL EN EL MUNDO

Countries where Spanish is spoken

Countries where part of the population speaks Spanish

Hey, Tim! How did you learn so much Spanish so quickly?

Estrategias de aprendizaje

You can, too. Just use these strategies.

Use what you know

Think about words you have heard or read that are in Spanish, or come from Spanish. For example, *hola*, *adiós*, *fiesta*, *rodeo*, *patio*, and *Florida* are Spanish words.

1 Colabora con tus compañeros

▶**Habla.** What Spanish words do you and your classmates already know? Make a list.

Look at the cognates: Cognates are your friends

- Cognates (*cognados*) are words that look similar in English and Spanish, and mean the same thing, like *monitor*, *drama*, or *gimnasio*. Recognizing them is a great reading and listening strategy. There are hundreds of Spanish cognates:

- Be careful of **false cognates.** They look alike, but have a different meaning. For example, the Spanish word *sensible* means "sensitive", not "sensible".

Spanish	English	False cognate
colegio	*school*	*college*
argumento	*plot*	*argument*
realizar	*to make*	*to realize*
suceso	*event*	*success*
largo	*long*	*large*

2 ¿Cognado: sí o no?

Escribe. Find the cognates in this text and provide the English equivalents.

> Hoy vamos a escribir una composición en la clase de español. El profesor dice que es necesario tener un diccionario.

3 Cognados falsos

Decide. Look at these pictures and decide which Spanish word means *bookstore* and which means *library*.

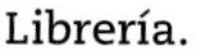
Librería.

Biblioteca.

REPASO

1 Une. Match each time in column A with a greeting in column B.

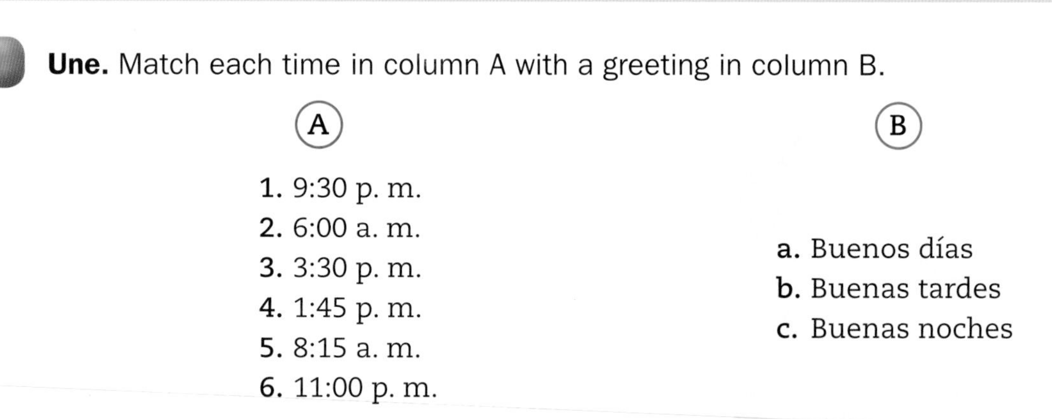

Ⓐ

1. 9:30 p. m.
2. 6:00 a. m.
3. 3:30 p. m.
4. 1:45 p. m.
5. 8:15 a. m.
6. 11:00 p. m.

Ⓑ

a. Buenos días
b. Buenas tardes
c. Buenas noches

2 Escribe. Look at the picture and, in your notebook, write what you see in this classroom.

3 Elige. Choose the correct option.

1. ¿______ te llamas?
   a. Hola b. Cómo c. Yo
2. ¡______ luego, Ana!
   a. Hasta b. Adiós c. Chao
3. ¿______ significa *mochila*?
   a. Qué b. Cómo c. Dónde
4. ¿______ es tu profesor de español?
   a. Dónde b. Qué c. Quién
5. ¿______ es tu cumpleaños?
   a. Qué b. Cuándo c. Quién

4 Ordena y escribe. Unscramble the days of the week. Then write the Spanish and the English word for each day.

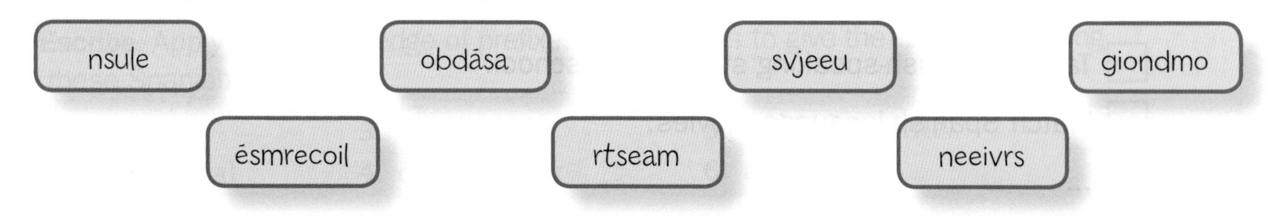

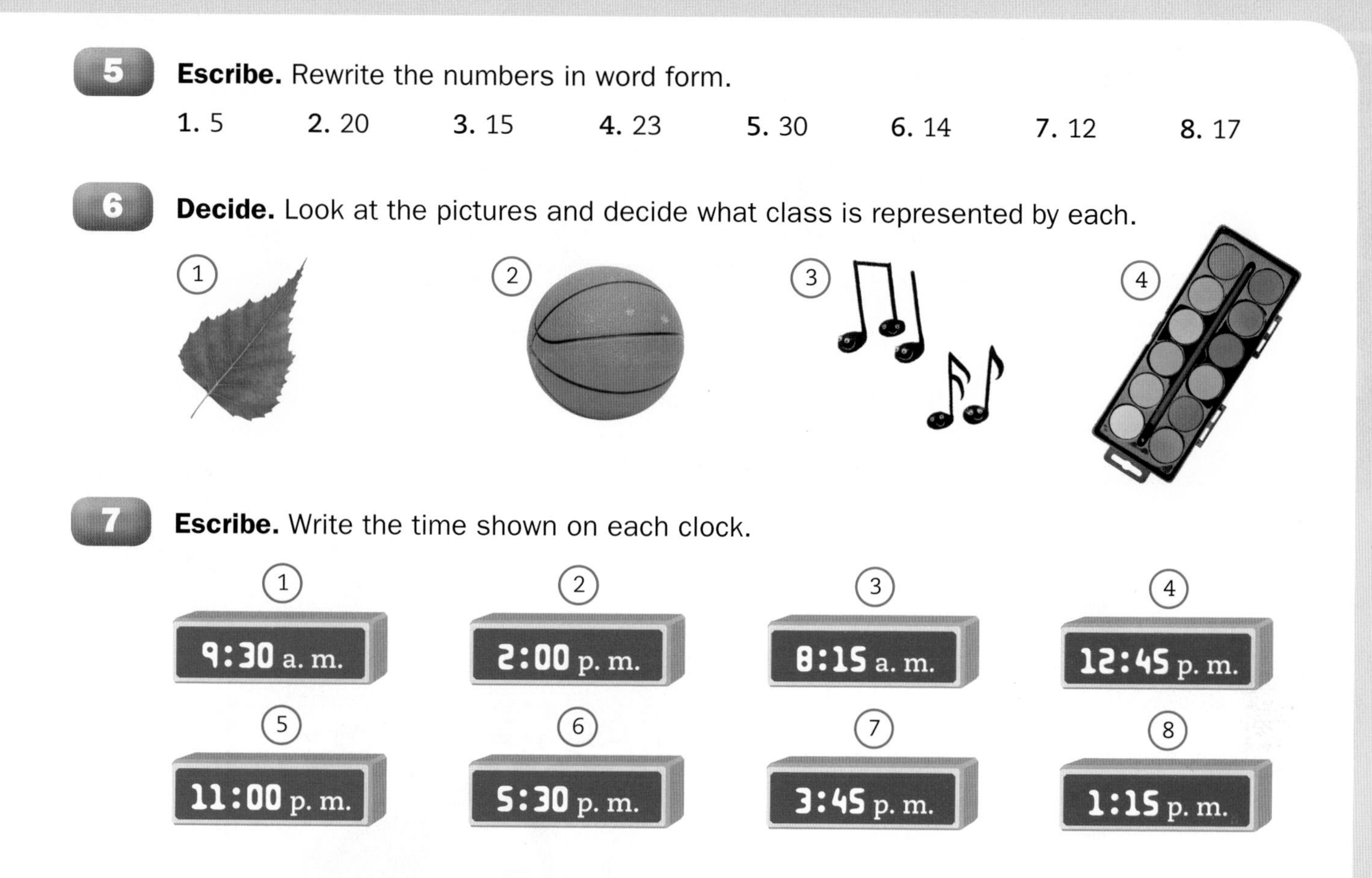

5 **Escribe.** Rewrite the numbers in word form.

1. 5 **2.** 20 **3.** 15 **4.** 23 **5.** 30 **6.** 14 **7.** 12 **8.** 17

6 **Decide.** Look at the pictures and decide what class is represented by each.

7 **Escribe.** Write the time shown on each clock.

8 **Dibuja.** Make a miniposter for each season using the one below as a model. Write the months, the weather, and important dates for each. Be sure to illustrate each feature!

Unidad 1

México

Empiezan los desafíos

DESAFÍO 1

▸ **To identify yourself and others**

Vocabulario

Las personas

Gramática

Los pronombres personales sujeto

El verbo *ser*

El estadio Azteca

La casa de Frida Kahlo

DESAFÍO 2

▸ **To describe people**

Vocabulario

Características físicas

Rasgos de personalidad

Gramática

Los adjetivos

To describe family relationships

Vocabulario

La familia

Gramática

El verbo *tener*

Expresar posesión. Los adjetivos posesivos

DESAFÍO 3

La fiesta de la quinceañera

Los voladores de Papantla

To express states and feelings

Vocabulario

Estados y sensaciones

Gramática

El verbo *estar*

En la Ciudad de México

The four pairs have just arrived at Benito Juárez Airport in Mexico City. There they meet the Mexican family who will be helping them with their tasks.

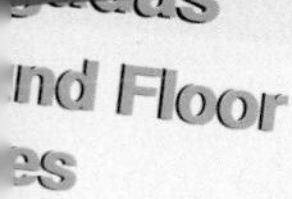

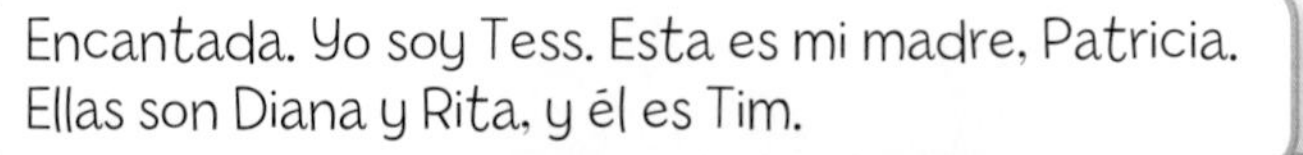

Hola, Mack. ¿Cómo está?

Muy bien, gracias.

Yo soy Andy y esta
es mi hermana Janet.

¡Estamos contentos!

1 ¿Comprendes?

▶ **Une.** Match each question with the correct answer.

A	B
1. Who welcomes the pairs?	a. Contentos.
2. Who is Marisa?	b. Muy gracioso.
3. How do the characters feel?	c. La hija de Carmen y Luis.
4. How many siblings does Marisa have?	d. La familia Pérez.
5. What is Mack like?	e. Dos.

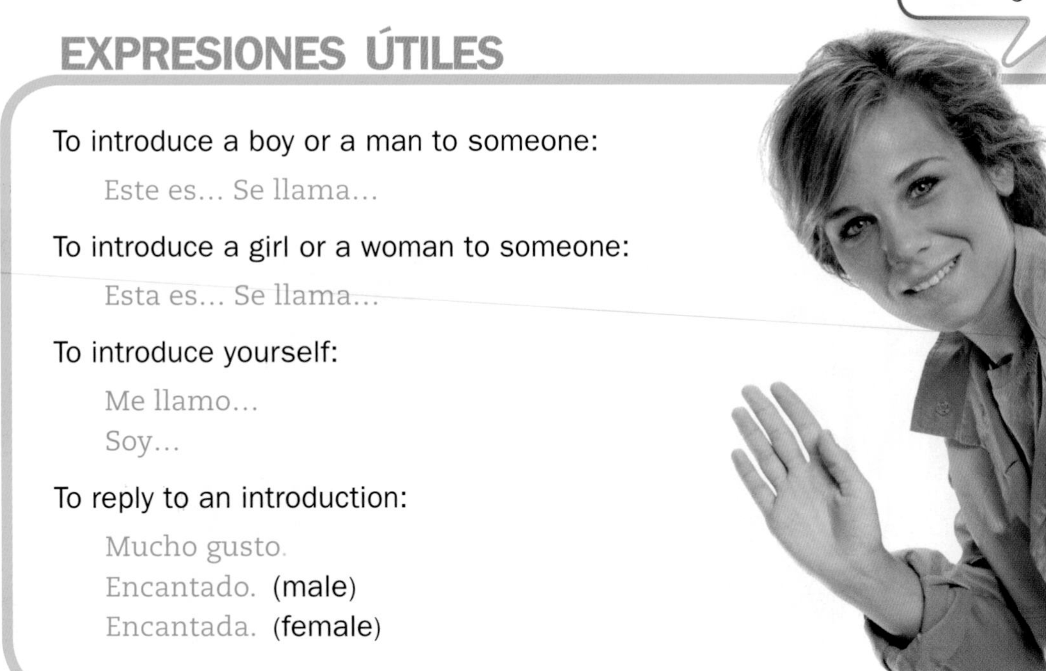

EXPRESIONES ÚTILES

To introduce a boy or a man to someone:

Este es... Se llama...

To introduce a girl or a woman to someone:

Esta es... Se llama...

To introduce yourself:

Me llamo...
Soy...

To reply to an introduction:

Mucho gusto.
Encantado. (male)
Encantada. (female)

2 Conversaciones

▶ **Escucha.** Listen and decide. Are these people introducing themselves or greeting each other?

1. Patricia y Mack **2.** Tess, Andy y Janet **3.** Tim y Diana **4.** Rita, Andy y Diana

3 Pequeños diálogos

▶ **Representa.** Form groups of three. Introduce one of your group members to the other. Follow the model.

¿Quién ganará?

4 Los desafíos

▶ **Habla.** What will be the challenge for each pair? Think about this question and discuss it with your classmates.

5 Las votaciones

▶ **Decide.** You decide. You will vote to choose the most fun challenge. Who do you think will win?

El fan del fútbol

Janet and Andy must attend a soccer (*fútbol*) game. Their task is to find Mexico's biggest soccer fan, but Andy can't stop watching the game!

Continuará...

6 Detective de palabras

▶ **Une.** Copy and match each word in column A with the corresponding word in column B. Look at the text above.

A	B
1. yo	a. es
2. tú	b. soy
3. él	c. eres
4. nosotros	d. son
5. ellos	e. somos

7 Presentaciones

Escucha. Listen to the dialogue and choose the picture that best illustrates each sentence.

A

C

D

B

8 ¿Qué dicen?

Completa. Complete the sentences using the *fotonovela El fan del fútbol* as a guide.

1. ¿Quién es el fan mexicano más entusiasta?
2. La ______ es mi amiga.
3. El estadio ______ fantástico.
4. ______ son fans también.
5. ______ no es de México.
6. ¿Tú ______ un fan del fútbol?
7. Yo soy una fan del ______.
8. ______ somos fans del fútbol.

Escribe. Janet introduces her friend Sara to you. Write her introduction and your reply.

El fútbol mexicano

El fútbol es un deporte muy popular en México.

Los mexicanos llaman el Tri a su selección de fútbol. Ellos admiran a la selección mexicana. Los miembros del Tri son sus héroes.

9 Comparación

Explain:

1. Is soccer a major sport where you live?
2. Which sports do you most enjoy? Why?

Use the website www.fansdelespañol.com to see the Mexican soccer team.

Vocabulario

Las personas

10 Relaciones

▶ **Completa.** Complete the sentences with words shown above.

1. Janet y Andy son los ________ de Marisa.
2. Luis y Carmen son los ________ de Marisa.
3. Tess y Rita son las ________ de Mack y Tim.
4. La ________ de Luisito es Carmen.
5. Marisa es la ________ de Xóchitl.
6. Luisito es el ________ de Xóchitl.

11 Los mensajes telefónicos

▶ **Escucha.** Listen and choose. Who is speaking?

1. profesor / estudiante
2. mujer / hombre
3. novio / amigo
4. hijo / padre
5. niño / niña

12 ¿Qué son?

▶ **Escribe.** Use words from each column to form five true sentences about these people.

Modelo *Mack y Carmen son amigos.*

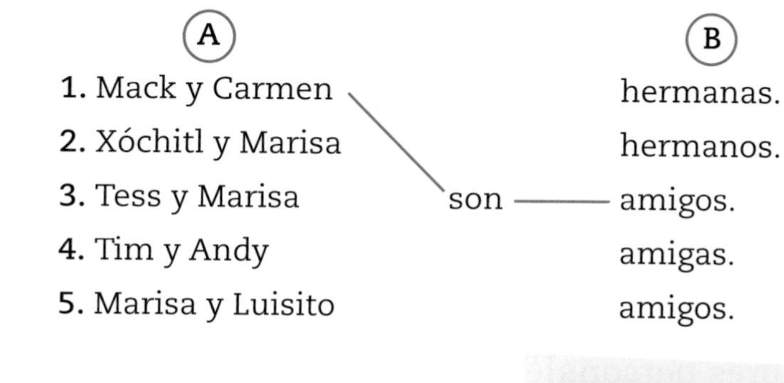

A		B
1. Mack y Carmen		hermanas.
2. Xóchitl y Marisa		hermanos.
3. Tess y Marisa	son	amigos.
4. Tim y Andy		amigas.
5. Marisa y Luisito		amigos.

13 La cena de la victoria

▶ **Habla.** Marisa's family is celebrating the soccer team's win today. Join with a partner to describe the relationships between the people in the photo. Say at least one sentence about each person.

Modelo

El hombre es el padre de Marisa...

COMUNIDADES

PHOTO SCAVENGER HUNT

14 Tu comunidad en español. Create a poster to talk about people you know! You may want to create a digital poster.

1. Take photos of people you know.
2. Organize your photos in a logical way.
3. Label the pictures with each person's name and relationship to you.

Gramática

Los pronombres personales sujeto

- Subject pronouns identify the person who is performing an action. These are the subject pronouns:

PRONOMBRES PERSONALES SUJETO

Singular		Plural	
yo	*I*	nosotros nosotras	*we*
tú	*you (informal)*	vosotros vosotras	*you (informal)*
usted él ella	*you (formal)* *he* *she*	ustedes ellos ellas	*you* *they* *they*

Uso de los pronombres personales

- Nosotros, vosotros, and ellos are used to refer to groups of all males or to groups of males and females. Nosotras, vosotras, and ellas refer to groups of females.

  Juan, Luisa y Andrea son hermanos. **Ellos** son amigos de Marisa.

- Tú is used to speak to a relative, a friend, a classmate, a child—to those you are on an informal basis with. Usted is used to speak to an adult or to a person in authority—a teacher, a police officer, a senior citizen—someone you are more formal with.

  ¿**Tú** eres Tess? ¿**Usted** es el señor Pérez?

- In Spain, the plural of tú is vosotros and vosotras (informal), whereas the plural of usted is ustedes (formal). In the Americas, people use ustedes as the plural of both tú and usted.

  Vosotros sois mis amigos. **Ustedes** son mis amigos.

15 **Comparación.** What subject pronouns express *you* in Spanish?

16 **¿Quiénes?**

▶ **Escribe.** Imagine you need to talk about these people. Write the pronoun you would use.

Modelo Carlos y Luis ⟶ *Ellos*

1. Marisa
2. Marisa y la señora Pérez
3. El señor Pérez y Tim
4. Los señores Pérez
5. Luisito
6. Luisito, Xóchitl y Tess
7. Marisa, Andy y yo
8. Andy, Janet y tú

17 ¿Tú o usted?

▶ **Escribe.** Would you use *tú* or *usted* to speak to the following people?

1. el profesor

2. el policía

3. la estudiante

4. el niño

5. la doctora

18 ¿Qué foto es?

▶ **Escucha y decide.** Five students are talking about their friends. Listen and decide which photo each one is talking about.

Ⓐ

Ⓑ

19 Los profesores y el estudiante

▶ **Lee y completa.** Luis and Carmen are talking to two teachers at their son Luisito's school. Complete their conversation with the correct subject pronouns.

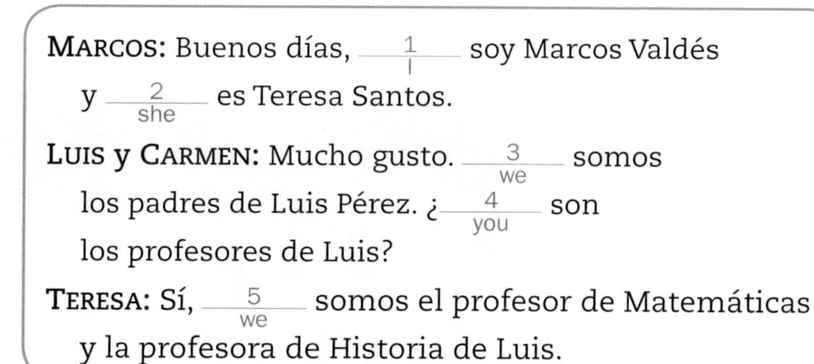

MARCOS: Buenos días, ___1___ (I) soy Marcos Valdés y ___2___ (she) es Teresa Santos.

LUIS Y CARMEN: Mucho gusto. ___3___ (we) somos los padres de Luis Pérez. ¿___4___ (you) son los profesores de Luis?

TERESA: Sí, ___5___ (we) somos el profesor de Matemáticas y la profesora de Historia de Luis.

Comunicación

26 El fútbol en mi escuela

▶ **Escribe y dibuja.** Andy comes to watch your school's soccer game. Greet him and introduce yourself. Then introduce him to five other people. Draw the scenes and write speech bubbles with the appropriate conversation.

27 La papa caliente

▶ **Habla.** How many true sentences can you make about the following people? Take turns with a partner. If you can't make a true sentence, your partner gets a point and you start the next round.

1. tú y ella
2. el profesor / la profesora
3. los estudiantes
4. mis amigos y yo
5. mi madre y mi padre

Modelo *ustedes*

Ustedes son de California.

Ustedes son amigos.

28 Andy se presenta

▶ **Lee y escribe.** Andy has created a short video to introduce his family to the people he meets in Mexico. Read the video script that he has written and answer his question.

Buenas tardes, me llamo Andy y soy estudiante. Esta es Janet. Janet y yo somos hermanos. Él es mi padre. Se llama Gary y es profesor de Matemáticas. La mujer es mi madre, Marcela. Es profesora de Música. Y tú, ¿quién eres?

29 Una foto preciosa

▶ **Escucha y dibuja.** Janet is describing one of the photos she took at the game. Draw the picture she describes.

30 Mi gente

▶ **Escribe.** Help your classmates get to know these people. Say where they are from and describe their relationship to someone else.

Modelo *Ana es de México. Es la amiga de Luisito.*

1. Yo ____
2. Tú y yo ____
3. Mi profesor / profesora ____
4. Mis padres ____
5. Mi mejor amigo / amiga ____
6. Mi hermano / hermana ____

Final del desafío

31 ¿Qué pasa en la historia?

▶ **Escribe y representa.** Fill in the missing words. Then act out the scenes in class.

Earn points for your own challenge! Listen to the questions for your *Minientrevista Desafío 1* on the website and write your answers.

Es una mujer creativa

Diana and her aunt Rita are at the *Casa Azul* museum in Mexico City. This building used to be the family home of Frida Kahlo, a famous Mexican artist. Their task there is to live like Frida for one day.

Continuará...

32 Detective de palabras

▶**Elige.** What are the people in the *fotonovela* like? Complete the sentences.

1. Frida es... a. creativo. b. creativa. c. creativos. d. creativas.
2. Diana y Rita son... a. delgado. b. delgada. c. delgados. d. delgadas.
3. Los hombres son... a. serio. b. seria. c. serios. d. serias.
4. El abuelo es... a. serio. b. seria. c. serios. d. serias.

▶**Habla.** *Creativa*, *delgadas*, *serios*, and *serio* are adjectives. Answer these questions.

1. What letters do these adjectives end in when they refer to a girl? And to a boy?
2. How do they end when they refer to two or more people?

33 La gente en el autobús

▶ **Habla.** Frida painted this scene of passengers on a bus. Talk to your partner and identify the six people.

Frida Kahlo. *El autobús.*

Modelo

A. *Él es un niño curioso.*

B. *¡Es la persona número cuatro!*

34 Diana y Rita en el museo

▶ **Completa.** Diana has written a description of a Frida Kahlo painting: *Las dos Fridas*. Complete the paragraph with the correct forms of the verb *ser*.

> La pintura de Frida Kahlo ___1___ una obra de arte. Las dos mujeres ___2___ dos aspectos de una persona. Yo no ___3___ una experta en arte, pero, en mi opinión, esta pintura ___4___ fantástica. Mi tía Rita y yo ___5___ admiradoras de Frida Kahlo.

Frida Kahlo. *Las dos Fridas.*

CULTURA

Frida Kahlo

La pintora mexicana Frida Kahlo es una figura importante en la historia del arte. Sus cuadros *(paintings)* son autorretratos *(self-portraits)* y temas del arte popular de México. "Nunca pinté mis sueños *(dreams)*. Pinté mi propia realidad".

35 Comparación. What American artists do you know? Are their depictions realistic or unrealistic?

Use the website to watch a documentary about Frida Kahlo's life. Earn points for your own challenge!

Vocabulario

Características físicas

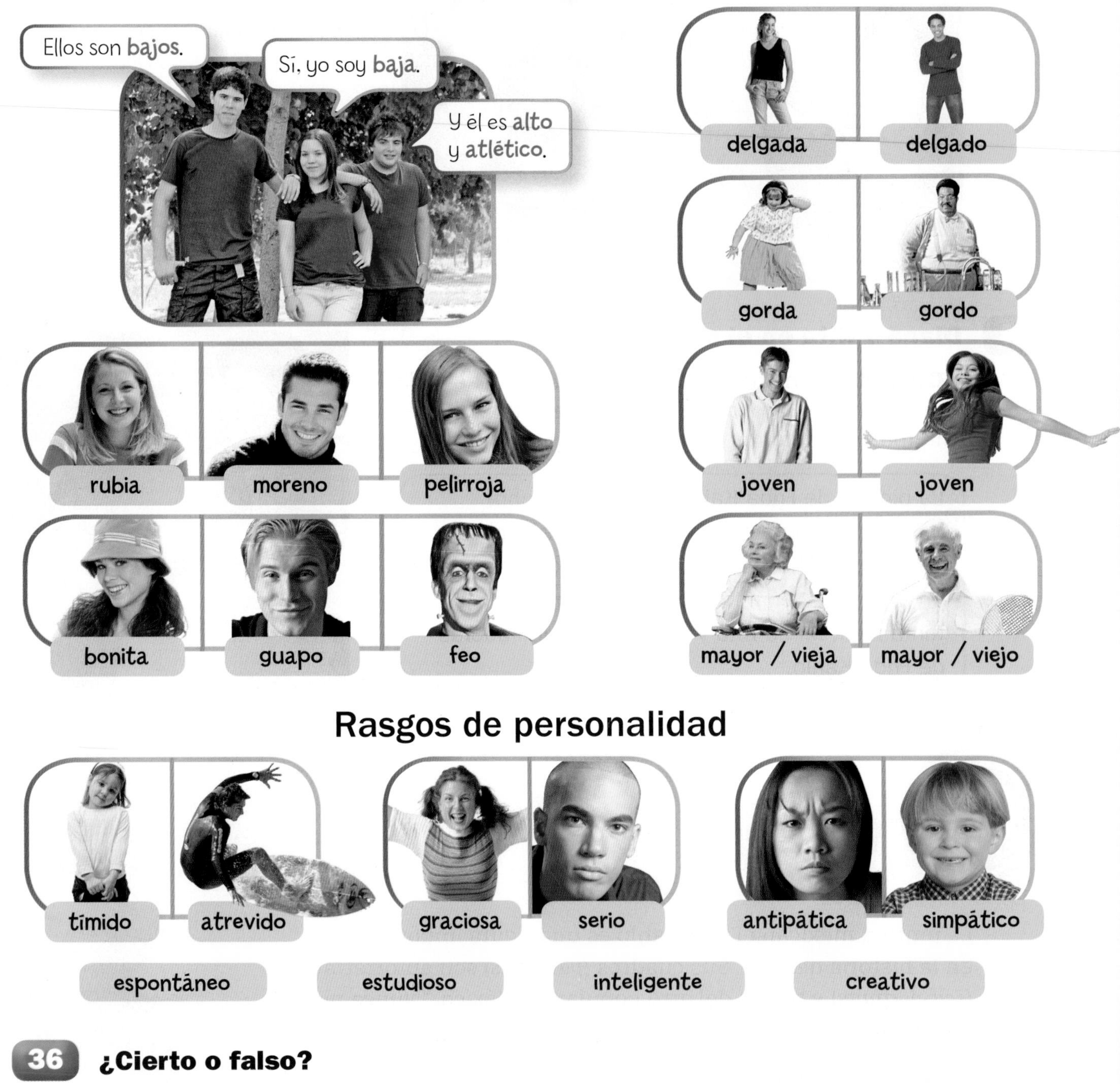

36 **¿Cierto o falso?**

▶ **Elige.** In your opinion, are these statements true *(cierto)* or false *(falso)*?

1. Tess es morena.
2. La tía Rita es mayor.
3. Frida Kahlo es gorda.
4. Diana es seria.
5. Andy y Tess son jóvenes.

37 Los amigos de Mack

▶ **Escucha.** Mack is describing his friends. Listen and decide which two people he is talking about.

Diana Rita

Andy

Tess

38 Ellos son interesantes

▶ **Escribe.** Describe the following people, referring to their personality and their physical characteristics.

Modelo 1. la niña ⟶ *La niña es rubia, atlética y atrevida.*

1 la niña

2 el niño

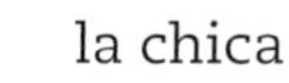

3 la chica

4 el chico

5 el hombre

6 la mujer

39 Así son

▶ **Habla.** Use the vocabulary on page 48 to describe the people to a classmate.

Modelo *Luisito es joven, moreno y simpático.*

1. el abuelo Mack 2. Janet 3. Tim 4. Patricia

▶ **Escribe.** Write your descriptions and read them to a different partner. Can he or she guess who it is?

CONEXIONES: ARTE

Salma Hayek

La actriz mexicana Salma Hayek es una mujer famosa en todo el mundo *(world)*. Fue nominada a un Oscar por su interpretación de Frida Kahlo en la película *Frida*.

40 Investiga. What other films has Salma acted in?

TU DESAFÍO

Visit the website to read more about Salma Hayek and the Oscar-nominated movie *Frida*.

Comunicación

47 Voces de México

▶ **Escucha.** Diana and her aunt Rita talked to these people. According to the descriptions you hear, can you say who they are?

Modelo 1. *Es la doctora López.* ⟶ *A*

48 Los hermanos de Diana

▶ **Escribe.** Write as many descriptions as you can about Diana's brothers. Compare notes with a partner.

Sergio

Alán

49 La bitácora electrónica (blog)

▶ **Lee y habla.** Diana has written a description of Aunt Rita on her blog. Read it. Then close your books and, with a partner, take turns describing Aunt Rita.

> El blog de Diana
>
> 18 de julio, Ciudad de México
>
> Mi tía Rita es fenomenal. Es una mujer inteligente y enérgica; es muy graciosa. Ser Frida Kahlo es una tarea atrevida. Afortunadamente, mi tía y yo somos atrevidas y espontáneas.

▶ **Escribe.** Describe the family member you most resemble. How are you similar and how are you different? Circulate your description among your classmates.

50 La familia de tu compañero

▶ **Habla.** Interview classmates about their favorite family member. Find out what the person is like. Then, describe each person to your class.

Modelo

Final del desafío

51 ¿Qué pasa en la historia?

▶ **Escribe y representa.** Write a dialogue betwen Diana and Rita for these scenes. Then act out your script for the class.

La quinceañera

Tess and Patricia's first task while in Mexico is to attend a *quinceañera*, a special party for a girl's fifteenth birthday. They must meet all of Elena's guests!

¡Sí! Estos son mis papás, Raúl y Eva.
¡Son muy simpáticos!

Continuará...

52 Detective de palabras

▶ **Elige.** Complete the sentences.

1. Tess: Tienes... **a.** una mamá. **b.** un niño. **c.** 14 años. **d.** una familia muy grande.
2. Elena: Tengo... **a.** un amigo. **b.** una amiga. **c.** un tío. **d.** dos hermanos.
3. Ana tiene... **a.** cinco años. **b.** dos tíos. **c.** tres hijos. **d.** nueve años.

53 ¿Cómo se llaman?

▶ **Escribe.** What did you learn in the *fotonovela*? Write the names of the following people.

Modelo La amiga de Tess ⟶ *Marisa*

1. la quinceañera
2. el amigo de Elena
3. la madre de Elena
4. los hermanos de la quinceañera

54 Presentaciones

▶ **Escucha y elige.** People at the party are making introductions. Choose the photo that best illustrates each sentence.

55 Una presentación

▶ **Escribe.** You know a lot about the guests now. Describe each of the following people.

Modelo *Tess es una chica alta y simpática. Es la amiga de Marisa.*

1. Eva
2. Raúl
3. Carlos y Ana
4. Jaime
5. Elena
6. Tess y Marisa

CULTURA

La fiesta de los quince años

En México, las chicas celebran a los quince años su transición de niña a mujer. La celebración puede incluir una ceremonia religiosa, un banquete y un baile *(dance)* con sus familiares y amigos.
Tradicionalmente, el día de la fiesta, las madres dan consejos *(advice)* a sus hijas para su vida adulta.

56 Comparación. Why do you think the *quinceañera* is a special celebration? Are there similar traditions that you know of in other cultures?

TU DESAFÍO Use the website to learn more about the *quinceañera*.

Vocabulario

La familia

57 La familia de Tess

▶ **Completa.** Read what Tess says about her family. Then complete the sentences.

Modelo *Rose es la abuela de Tess.*

1. Bill es ______
2. Karen es ______
3. David es ______
4. Mike es ______
5. Lisa es ______
6. George es ______

Tengo una hermana, Karen, y un hermano, David. Mi madre se llama Patricia y mi padre se llama Bill. Mi madre tiene un hermano, George. Él tiene dos hijos: mis primos Mike y Lisa.

58 Los familiares

▶ **Escucha.** Tess is describing Rita's family. Listen and write down the name and the relationship of each person she talks about.

Modelo 1. *Charlie es el primo.*

59 Relaciones

▶ **Lee y escribe.** Read the definitions and fill in the missing family relationship word.

1. Mi abuela es la madre de mi madre.
2. Mi ____ es la hija de mis padres.
3. Mis ____ son mi madre y mi padre.
4. Mi ____ es la madre de mi primo.
5. Mis primos son los ____ de mis tíos.
6. Mi ____ es el hermano de mi madre.
7. Mis ____ son los padres de mi padre.
8. Mi abuelo es el ____ de mi tío.

60 La familia de Tess

▶ **Habla.** Imagine you are Tess. Describe your family tree to a partner.

Modelo

Hola. Tengo una hermana y un hermano. ¿Y tú?

Yo tengo...

COMPARACIONES

Familias multigeneracionales

No es extraño que varias generaciones de una familia mexicana vivan *(live)* en una misma casa. Los abuelos, los tíos y los sobrinos ayudan *(help)* en las tareas familiares y dan *(give)* el apoyo *(support)* necesario.

61 Comparación. Compare typical families in Mexico and in the U.S.

1. Do you live with your extended family?
2. What are some positive aspects of living with extended family?

Gramática

El verbo *tener*

- The verb tener usually means *to have*. These are the forms of tener in the present tense:

VERBO TENER (TO HAVE). PRESENTE

Singular			Plural		
yo	tengo	*I have*	nosotros nosotras	tenemos	*we have*
tú	tienes	*you have*	vosotros vosotras	tenéis	*you have*
usted él ella	tiene	*you have* *he has* *she has*	ustedes ellos ellas	tienen	*you have* *they have* *they have*

Remember: Verbs change according to the subject, so you may omit the subject pronoun in a sentence.

Yo tengo dos hermanos. **Tengo** dos primos y tres primas.

Expresar edad

- To express age, use this expression:

Tener… años — Tess **tiene** dieciséis **años**.

- To ask someone's age, use this question:

¿Cuántos años + tener? — ¿Cuántos años tienes?

62 **Comparación.** How many forms are there in Spanish to say *you have*?

63 **Habla Tess**

▶ **Completa.** Tess is talking about her family and her things. Complete each sentence with the correct form of the verb *tener*.

1. Mi madre tiene un gato adorable.
2. Nosotros no ________ un perro.
3. Mis tíos ________ un amigo en España.
4. Yo ________ un cuaderno en la mochila.
5. Y tú, ¿qué ________ en tu mochila?

64 Tú y tu familia

▶ **Decide y escribe.** Decide whether the sentences below are true *(cierto)* or false *(falso)* for you and your family. If they are false, correct them.

Modelo Yo tengo dos hermanos. ⟶ *Falso. Yo tengo tres hermanos.*

1. Mi madre tiene tres hermanos.
2. Mi tía tiene dos hijas.
3. Mis abuelos tienen diez perros.
4. Nosotros tenemos dos profesores de español.
5. Mi primo tiene dieciséis años.
6. Yo tengo catorce años.

65 En Fans del español...

▶ **Escribe.** What can you say about the characters? Write five sentences with the verb *tener*. Choose items from both lists.

Modelo Tim - una mascota ⟶ *Tim no tiene una mascota.*

1. Mack y Tim
2. Patricia
3. Diana
4. Los padres de Tess
5. Janet

a. tres hijos
b. un hermano (Andy)
c. una tía (Rita)
d. una familia multicultural
e. una hija (Tess)

66 ¿Cuántos años tiene?

▶ **Escribe.** How old are these people? Write sentences using the information below.

Modelo Iván - 10 ⟶ *Iván tiene diez años.*

1. Tess - 16
2. Ángela y Edwin - 30
3. yo - 9
4. Andrea y yo - 19
5. usted - 22
6. Pedro y su amigo - 13
7. tú - 12
8. Marisa - 15

67 No tengo

▶ **Escucha y elige.** Elena's mom is asking her about the supplies for the *quinceañera* party. She already has some things. Choose the pictures that represent what she still needs to get.

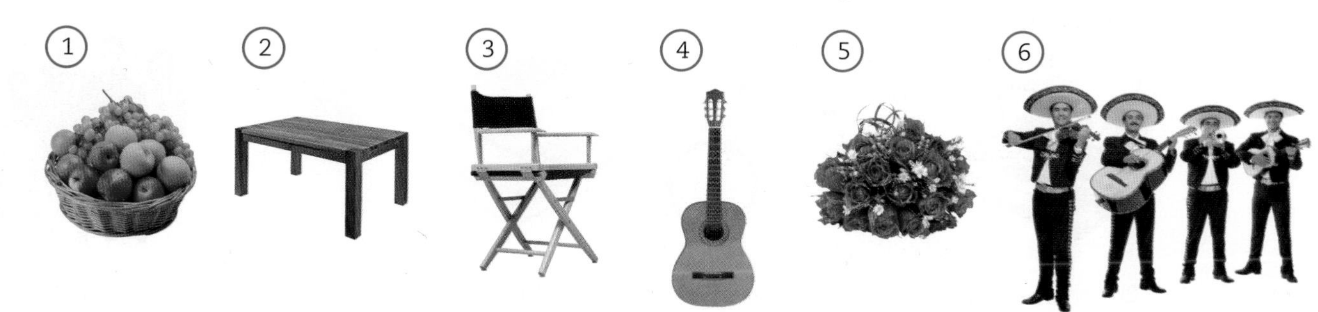

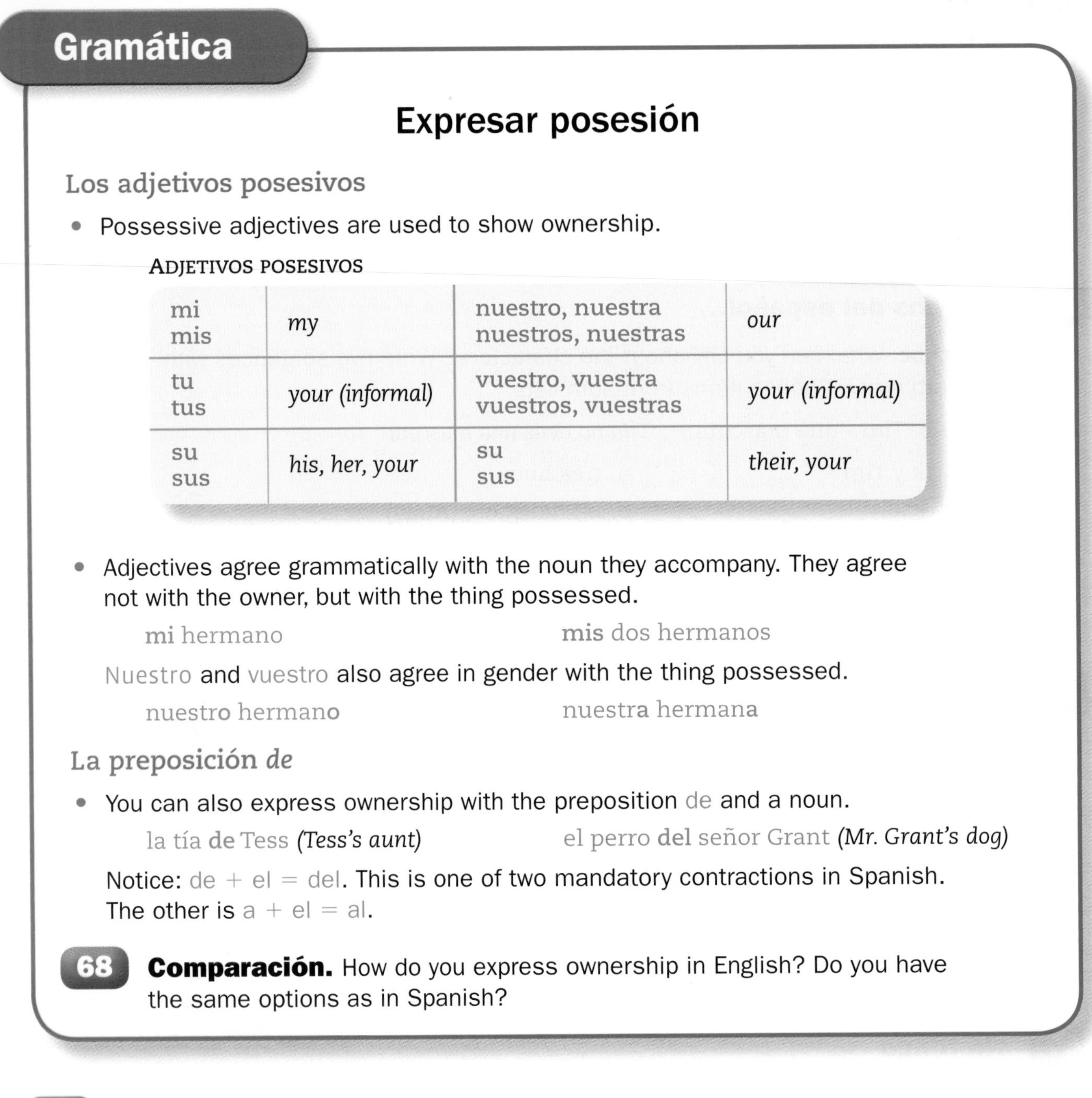

Gramática

Expresar posesión

Los adjetivos posesivos

- Possessive adjectives are used to show ownership.

ADJETIVOS POSESIVOS

mi mis	*my*	nuestro, nuestra nuestros, nuestras	*our*
tu tus	*your (informal)*	vuestro, vuestra vuestros, vuestras	*your (informal)*
su sus	*his, her, your*	su sus	*their, your*

- Adjectives agree grammatically with the noun they accompany. They agree not with the owner, but with the thing possessed.

  mi hermano **mis** dos hermanos

  Nuestro and vuestro also agree in gender with the thing possessed.

  nuestr**o** hermano nuestr**a** hermana

La preposición *de*

- You can also express ownership with the preposition de and a noun.

  la tía **de** Tess *(Tess's aunt)* el perro **del** señor Grant *(Mr. Grant's dog)*

  Notice: de + el = del. This is one of two mandatory contractions in Spanish. The other is a + el = al.

68 Comparación. How do you express ownership in English? Do you have the same options as in Spanish?

69 El mundo de Tess

▶ **Completa.** Tess is describing her things. Fill in the correct possessive adjective: *mi* or *mis*.

1. mis cosméticos
2. ____ bicicleta
3. ____ libros
4. ____ diario
5. ____ profesores

70 Mi mundo

Habla. List five things or people that are important to you. Then, with a partner you know well, try to guess what he or she listed.

Modelo *¿Tus perros? ¿Tu música?*

71 Cosas en común

Escribe. What does Tess have in common with her new Mexican friends? Rewrite the sentences from her perspective using possessive adjectives.

Modelo Marisa y yo tenemos padres simpáticos.
→ *Nuestros padres son simpáticos.*

1. Elena y yo tenemos hermanos jóvenes.
2. Ángela y yo tenemos abuelas mayores.
3. Elena y yo tenemos mascotas inteligentes.
4. Marisa y yo tenemos un perro atrevido.
5. Mis nuevos amigos y yo tenemos una profesora graciosa.

72 Buenas amigas

Habla. Tess is helping Marisa return things to their owners. With a partner, recreate their conversation. Ask questions with *es* or *son*, and answer using the information below.

Modelo teléfono - padre
TESS: *¿Es tu teléfono?*
MARISA: *No, es el teléfono de mi padre.*

1	2	3	4
mochila - Luisito	libros - Marisa	dinero - madre	bolígrafos - hermana

Habla. Hold a similar conversation with two classmates about school supplies.

Modelo *el lápiz*

Comunicación

73 La familia de tu compañero

▶ **Habla y escribe.** Find out about your partner's family and how old each person is. Then write a short paragraph in Spanish to report his or her answers.

Modelo *Miguel tiene una hermana. Su hermana tiene diez años.*

74 Mensajería instantánea

▶ **Lee y escucha.** Tess and Noelia, her new friend from the *quinceañera*, are chatting online. Read the Instant Messenger conversation. Then listen to the statements and decide whether they are true *(cierto)* or false *(falso)*.

Tess77: Noelia, ¿cómo es tu familia?
N031i4: ¡Mi familia es muy grande! Tengo 6 hermanos. No tengo hermanas. ☹
Tess77: ¿Cuántos años tienen tus hermanos?
N031i4: Tienen 20, 22 y 26 años. Pero tengo primos jóvenes.
Tess77: ¡Ah! ¿Cómo se llaman?
N031i4: Mi favorito es Fernando. Tiene 16 años. ¿Cuántos años tienes tú?
Tess77: Tengo 16 años también. ☺

▶ **Usa el contexto.** Can you guess the meanings of the following words from the context?

1. muy
2. grande
3. favorito
4. también

▶ **Lee y escribe.** Hold an IM conversation with a classmate. Pass a sheet of paper back and forth, and take turns writing about family members and their ages.

75 Entrevista a tus compañeros

▶ **Habla y escribe.** Ask your classmates questions following the model. Then write their answers.

Modelo diccionario ⟶ *Jim, ¿tienes un diccionario?*

1. unos cuadernos
2. una mochila
3. un teléfono celular
4. un bolígrafo
5. una computadora
6. un lápiz mecánico

76 ¿Qué tienen?

▶ **Escribe.** Describe these people. Write a short paragraph about each.

Modelo *Ana es de España. Es inteligente y simpática. Tiene dos hermanos y un gato.*

1. Yo
2. Tú y yo
3. Nuestra amiga
4. Mis tíos
5. Mi profesor / profesora
6. Mi novio / novia

Final del desafío

77 ¿Qué pasa en la historia?

▶ **Escribe y representa.** Write Tess's conversation with Elena's grandparents or with one of her friends. Then act out your script in front of the class.

Earn points for your own challenge! Listen to the questions for your *Minientrevista Desafío 3* on the website and write your answers.

¡Estamos nerviosos!

Tim and his grandfather Mack are at Chapultepec Park. Their task is to perform in a *Voladores de Papantla* show.

Continuará...

78 Detective de palabras

▶ **Completa.** Complete the dialogue according to the text above.

1. ¡_____ nervioso!
2. Tim, Mack, ¿_____ preparados?
3. ¿_____ contentos?
4. Tim y Mack _____ muy nerviosos.

79 Los cognados

▶ **Habla.** What English word might be related to each of these Spanish words? Share ideas with a partner.

nervioso contento preparado excelente

80 Los voladores atrevidos

▶ **Escucha.** Some spectators are talking about the Papantla Flyers. Listen and say if what you hear is a question or a statement.

▶ **Escribe.** Now match each answer with the question that triggered it.

1. Mario es un volador.
2. Él es atrevido y valiente.
3. Mario tiene dieciocho años.
4. Tiene dos hermanos.
5. No, no estoy nervioso.

a. ¿Cuántos hermanos tiene?
b. ¿Cuántos años tiene Mario?
c. Mario, ¿estás nervioso?
d. ¿Cómo es Mario?
e. ¿Quién es Mario?

81 ¿Tienes miedo, Tim?

▶ **Habla.** With a partner, say whether the people below are afraid or not of taking part in the *voladores* dance. Use the verb *tener* and the clues in parentheses.

Modelo Mario (no) ⟶ A. *¿Mario tiene miedo?*
B. *No. Mario no tiene miedo.*

1. Tim
2. Mack
3. Los voladores (no)
4. Ustedes
5. Mis amigas (no)
6. Nosotros

CULTURA

Los voladores de Papantla

La **danza de los voladores de Papantla** *(Papantla Flyers Dance)* es una danza indígena. Actúan cinco personas: cuatro voladores y un sacerdote *(priest)*. El sacerdote toca una flauta y los voladores saltan al vacío *(jump off)*. Cada volador gira *(turns)* 13 veces. Estos giros simbolizan las 52 semanas del año.

82 Comparación. What other indigenous dances do you know? What do they represent?

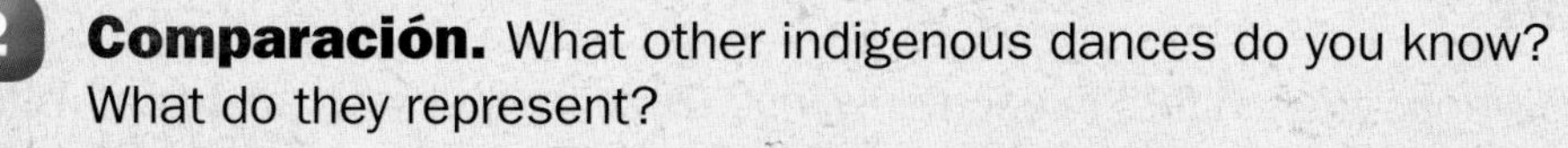

TU DESAFÍO Use the website to participate in *la danza de los voladores*.

Vocabulario

Estados y sensaciones

83 ¿Cómo está?

▶ **Describe.** How does the girl feel in each drawing? Describe her with an adjective from above.

84 Estoy bien

▶ **Escucha.** Two friends are describing these photos. Listen and decide which photo best matches each description.

Ⓐ 

Andy

Ⓑ 

los amigos de Marisa

Ⓒ 

Tess

Ⓓ 

Diana

85 Preguntas

▶ **Escribe.** Can you figure out the question by reading the answer? Write the question that triggered each of these responses.

86 Minientrevistas

▶ **Habla.** Interview four classmates. Ask them how they are feeling today. Use each question from the Modelo twice.

Modelo A. *¿Cómo estás?*
B. *Estoy muy bien.*

A. *¿Qué tal estás?*
B. *Estoy enferma.*

▶ **Escribe.** Write your classmates' answers in your notebook.

Use the website to listen to a song about feelings.

Todo junto

LEER Y ESCRIBIR

97 El foro digital

▶ **Lee y escribe.** On the website *Fans del español*, Janet wrote a post to introduce herself. Read her post, and write your own.

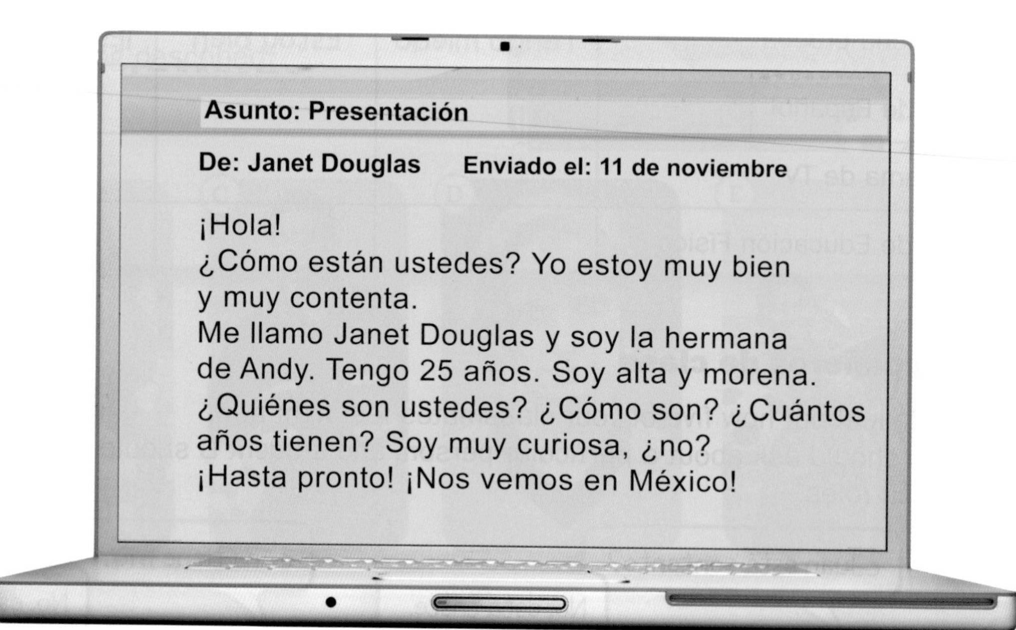
Asunto: Presentación

De: Janet Douglas Enviado el: 11 de noviembre

¡Hola!
¿Cómo están ustedes? Yo estoy muy bien y muy contenta.
Me llamo Janet Douglas y soy la hermana de Andy. Tengo 25 años. Soy alta y morena.
¿Quiénes son ustedes? ¿Cómo son? ¿Cuántos años tienen? Soy muy curiosa, ¿no?
¡Hasta pronto! ¡Nos vemos en México!

ESCUCHAR

ON THE AIR

98 En la radio

▶ **Escucha.** Tim and Diana are being interviewed on a Mexican radio station. Listen and decide whether each statement below is true *(cierto)* or false *(falso)*.

1. Es por la mañana *(in the morning)*.
2. El señor Rivera y Tim son amigos.
3. Diana y Tim están cansados.
4. Diana es seria.
5. Mack está enfermo.

▶ **Contesta.** Answer.

1. Do Diana and Tim use tú or usted when talking to Mr. Rivera? Why?
2. Does Mr. Rivera use tú or usted when talking to Tim and Diana? Why?

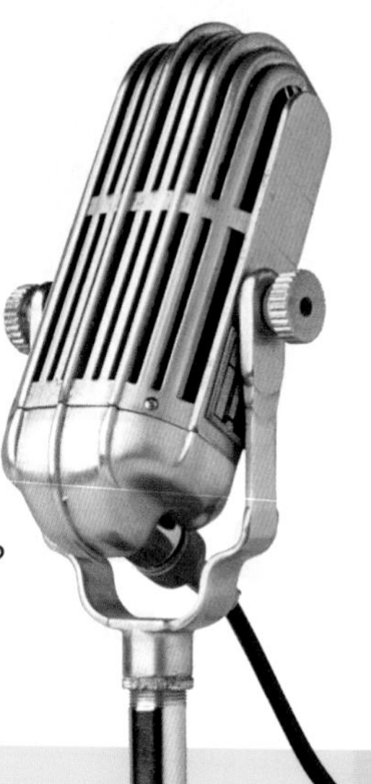

HABLAR Y ESCRIBIR

99 Dos mujeres

Este cuadro *(painting)* es de Rufino Tamayo, un indio del estado mexicano de Oaxaca. Su esposa *(wife)* y él coleccionaron y donaron muchas obras de arte a los mexicanos. Muchas de sus pinturas están en el Museo Tamayo de la Ciudad de México.

Rufino Tamayo. *Dos mujeres.*

▶ **Habla.** Talk about the painting with a partner. Use these questions to guide you.

1. ¿Quiénes son las mujeres?
2. ¿Cómo son?
3. ¿Cómo están hoy?

▶ **Escribe.** Write a conversation between the two women.

Modelo

A. *Hola. ¿Cómo estás?*
B. *Estoy bien. ¿Y tú?*

Saludos

In Spanish-speaking countries, women greet friends and family (men and women) with a kiss on the cheek. In Spain, they usually give two kisses: one on each cheek.

Men usually shake hands to greet other men, but may hug each other if they are close friends or relatives.

100 Comparación

Explain:

1. How do you greet your friends and family? What about strangers?
2. What do you think it would happen if you started greeting people today with a kiss on the cheek?

En el Zócalo

The four pairs gather in the **Zócalo**, in the center of Mexico City. They all bring the proof of their completed tasks. Who will win this challenge?

Mario es el fan más entusiasta del fútbol mexicano.

Somos morenas y serias como Frida Kahlo.

¡Qué atrevidos somos! ¡Estamos emocionados!

101 Al llegar

▶ **Escribe.** At the meeting point in Mexico City, the four pairs talk about their challenges. Write a script for this meeting. Use the following points as a guide.

- Greet each other.

> **Modelo** ANDY: ¡Hola, buenos días!
> MACK: ¡Buenos días a todos!

- Ask each other how he or she feels and what his or her teammate is like.

> **Modelo** JANET: ¿Cómo estás, Diana?
> DIANA: Estoy bien y muy contenta.
> JANET: Diana, ¿cómo es Rita?
> DIANA: ¡Rita es fantástica!

- Introduce any new friends from Mexico. Give their ages when possible.

> **Modelo** TESS: Ella es Elena, la quinceañera. ¡Tiene quince años!

- Say goodbye.

> **Modelo** TIM: ¡Adiós, hasta luego!

▶ **Representa.** In groups, act out your script.

102 Las votaciones

▶ **Decide.** Which pair's challenge has been the most fun? Take a vote to decide!

México es una república situada al sur de los Estados Unidos. Su superficie es un poco mayor que el estado de Alaska. La capital de México es la Ciudad de México.

México tiene más de 100 millones de habitantes. Es el país hispanohablante más poblado del mundo.

103 El mapa

▶ **Sitúa en el mapa.** Where are these Mexican cities? Use the map.

Guanajuato
Tijuana
Cancún
Mazatlán
Acapulco

▶ **Habla.** Talk about these cities with your partner. Follow the model.

Modelo A. *¿Qué es Tijuana?*
B. *Tijuana es una ciudad del norte de México.*

Los paisajes de México

Mexico is a country of beautiful landscapes and huge contrasts.

1. Desiertos y ciudades en el norte

The northern part of Mexico shares a border with the United States. The landscape is made up of deserts, valleys, and spectacular cacti, but there are also big, industrialized cities, like Monterrey and Tijuana.

(1) Desierto de Sonora.

(2) Playa de Acapulco.

(3) Glorieta del Ángel en la Ciudad de México.

2. El sur

The southern part of Mexico has a tropical landscape and spectacular beaches like those in Acapulco and in Cancun, and archeological remains like Chichen Itza.

3. Valles centrales y la Ciudad de México

The central part of Mexico is a high plateau surrounded by mountains and volcanoes. The capital (*la Ciudad de México*), with a population of more than 20 million people, is located here.

104 Tu paisaje favorito

- **Elige y compara.** Choose a Mexican landscape and say why you would like to visit it. Compare it with one you know.
- **Describe.** Describe your favorite landscape. Use words like these:

urbano	industrial	turístico	volcánico	tropical	desértico	montañoso

(1) El grupo «Los tigres del Norte».

1. Los desiertos y las ciudades del norte: los corridos

Northern Mexico is famous for its *corridos*. Like ballads, these are stories sung to music.

There are *corridos* about Mexican history, love affairs, heroes, criminals, and frontier adventures.

One famous *corrido* begins like this:

Este es el corrido del caballo blanco
que un día domingo feliz arrancara;
iba con la mira de llegar al norte
habiendo salido de Guadalajara.

2. La Ciudad de México: la antigua Tenochtitlán

Mexico City, also known as Mexico D.F. *(México Distrito Federal)*, was built on the ruins of Tenochtitlan, the capital of the Aztec Empire.

The *Museo Nacional de Antropología* houses valuable works of Aztec art, like the altarpiece called *la Piedra del Sol*, the Sun Stone.

(2) Danzantes aztecas en la plaza del Zócalo.

(2) La Piedra del Sol.

3. El centro: Guanajuato

Tucked between the mountains in the center of the country lies Guanajuato. This beautiful colonial city is famous for its winding streets and colorful buildings. It is also the birthplace of Diego Rivera, the best-known Mexican artist.

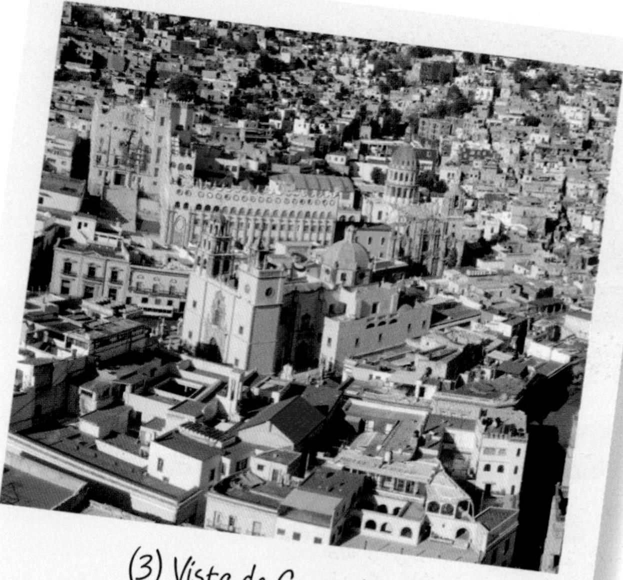

(3) Vista de Guanajuato.

4. El sur: la población indígena

Most of Mexico's indigenous population lives in the South. Their clothing, crafts, and customs give the towns in this part of the country a special charm.

Many remains of the ancient Mayan culture can be found in the South—for example, the ancient city of Palenque and the ruins of Chichen Itza.

(4) Artesanía indígena.

105 Grandes eventos

▶ **Diseña un cartel.** Make a poster for one of these events using information from the Internet. Focus on the most important features of each event.

Una visita guiada.

Un concierto de Lila Downs.

Una exposición de bordados indígenas.

Teotihuacán.

Teotihuacán, ciudad de los dioses

READING STRATEGY

Identify cognates

Many words in Spanish resemble words in English. These words are called cognates. Cognates can help you understand the meaning of a text.

Notice, however, that although cognates look alike, they are pronounced differently, and that not all words that sound alike in Spanish and English have the same meaning.

La ciudad de Teotihuacán

Teotihuacán es uno de los lugares arqueológicos más importantes de México. Está situado a veinticinco millas al noreste de la Ciudad de México. Su nombre significa "Ciudad de los dioses".

Teotihuacán es el centro de una misteriosa civilización muy avanzada y poderosa anterior a los aztecas. Hoy tenemos poca información sobre esa civilización.

Un paseo por Teotihuacán

La ciudad de Teotihuacán tiene una avenida principal llamada Calzada de los Muertos *(Avenue of the Dead)*.

A los lados de la avenida hay magníficos edificios religiosos y civiles. Los más importantes son la Pirámide del Sol, la Pirámide de la Luna, el Templo de Quetzalcoatl y el Palacio de Quetzalpapalotl.

ESTRATEGIA **Identificar cognados**

106 Para comprender

▶ **Escribe.** Make a chart like this one and complete it before using your personal dictionary. You may need to read the text several times.

Words I know	Words I can decipher	Words I need to know

Las pirámides y los templos de Teotihuacán son edificios impresionantes.

¡La Pirámide del Sol tiene 213 pies de altura!

COMPRENSIÓN

107 ¿Está claro?

▶ **Contesta.** Decide whether the following statements are true *(cierto)* or false *(falso)*.

a. Teotihuacán es un lugar arqueológico muy importante.
b. Teotihuacán es una antigua ciudad azteca.
c. La avenida principal de Teotihuacán es la Calzada de los Muertos.
d. Todos los edificios de Teotihuacán son religiosos.

108 La foto y el plano

▶ **Examina y contesta.** Examine the photo on page 80 and this map of Teotihuacan. Where was the photo taken from? With the help of the map and the texts, identify the places and the buildings you see in the photo.

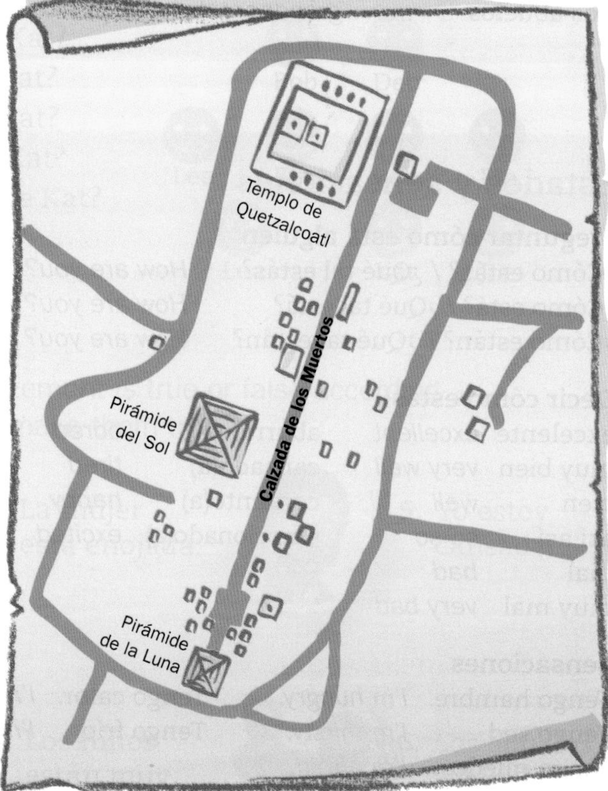

Earn points for your own challenge! Visit the website to take a virtual tour around Teotihuacan.

Una presentación sobre

Diego Rivera

Diego Rivera is one of Mexico's most important artists. He painted large-scale murals about the history and people of Mexico.

Diego Rivera. ***Autorretrato.***

This self-portrait shows the artist against a rural background.

PASO 1 Investiga sobre Diego Rivera

- Find out about Diego Rivera. Look for information to answer these questions:
  - When and where was he born? When and where did he die?
  - What are the names of his most famous works?
  - To whom was he married?
  - Where can you find examples of his work today?

PASO 2 Busca imágenes de las obras de Diego Rivera

- Look for examples of his paintings and murals.

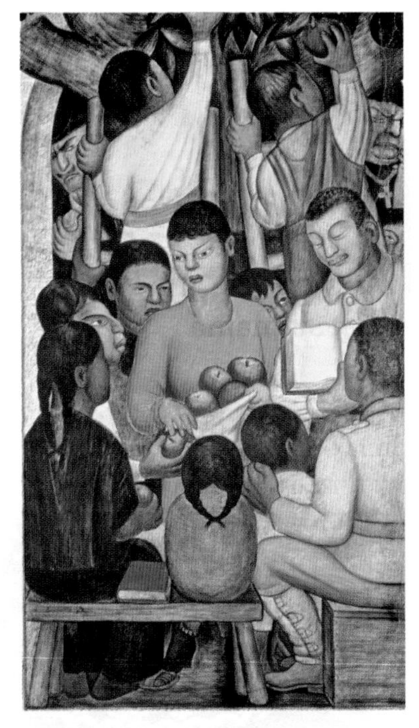

Diego Rivera. ***Los frutos de la tierra.***

This is a fragment of a painting in which Rivera depicts a typical market scene.

Diego Rivera. ***La independencia mexicana.***

In this work, Rivera depicts the Mexican Declaration of Independence on September 10, 1810.

Diego Rivera. *Festival de flores.* Women with flowers appear frequently in Rivera's work.

PASO 3 Elige una obra y habla sobre ella

- Choose an artwork that depicts people. Discuss one of the people in the work. Ask yourself questions like these to help you focus your comments.
  - What is this person like?
    Es moreno, es rubia, es joven, es inteligente...
  - How old do you think this person is?
    Tiene... años.
  - What relationships may exist between the person you selected and the other people in the artwork?
    Es el hijo, es la amiga, es el hermano...
  - How does the person you selected feel?
    Está contento, triste, enojada, cansada...

PASO 4 Organiza tus datos

- Choose an appropriate format for your presentation: poster, PowerPoint presentation, scrapbook, or other.
- Organize all your information to make a presentation. First, present the artist and his or her work. Then present the person you selected.

PASO 5 Comprueba y evalúa

- Proofread your work.
  - Is the cultural information clear and correct?
  - Are the texts correct and complete?

Unidad 1

Autoevaluación

¿Qué has aprendido en esta unidad?

Do these activities to evaluate how well you can manage in Spanish.

a. Can you identify yourself and others?
▶ Introduce yourself and say your first and last names.

b. Can you describe people?
▶ Describe a classmate's physical appearance and personality.
▶ Say how old you and your best friend are.

c. Can you talk about your family?
▶ Say how many siblings and relatives you have.

d. Can you express feelings and sensations?
▶ Say how you usually feel, and if you are tired, hungry, or sleepy today.

Unidad 2

Puerto Rico

Desafíos en el Caribe

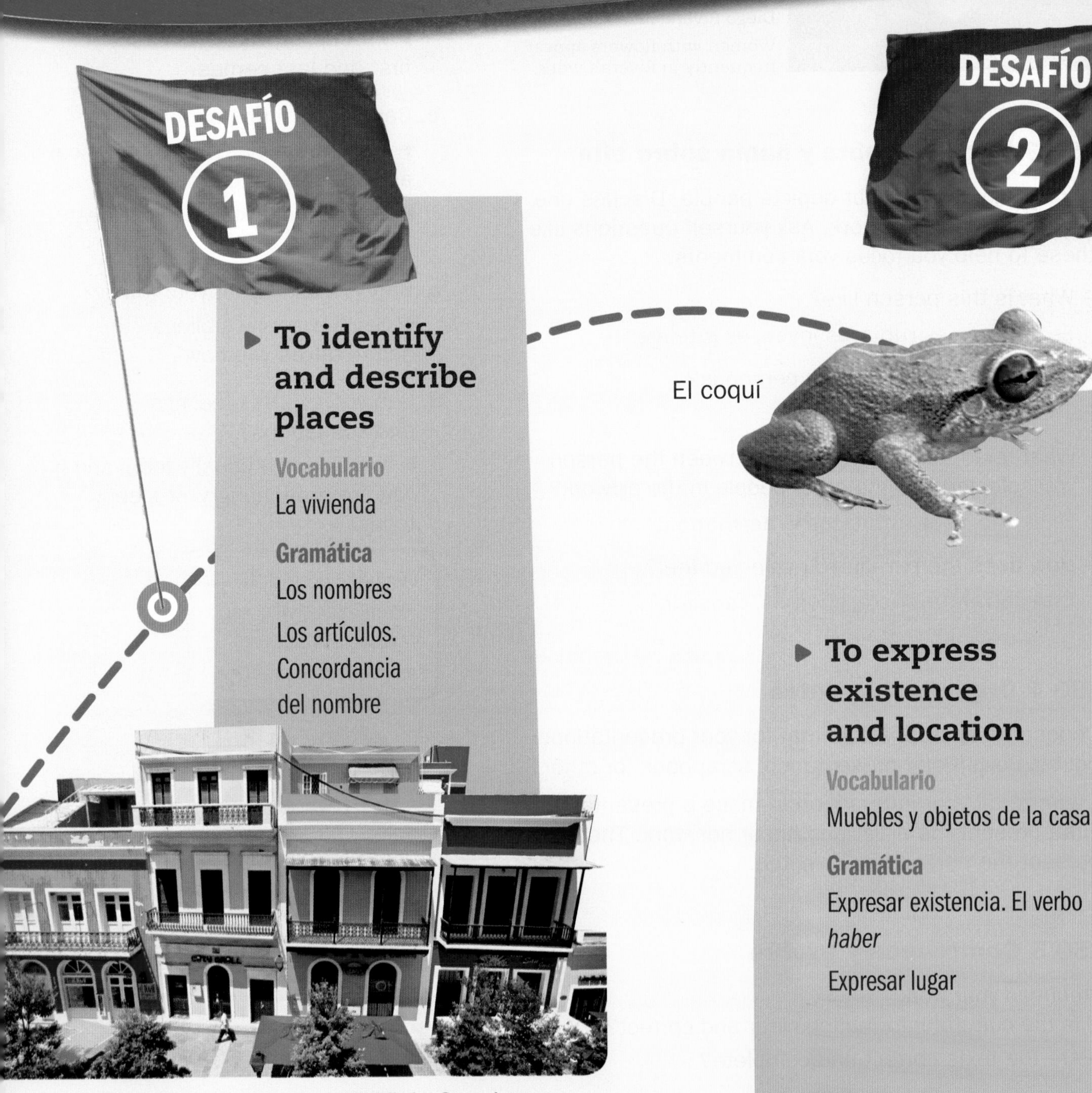

DESAFÍO 1

To identify and describe places

Vocabulario
La vivienda

Gramática
Los nombres
Los artículos. Concordancia del nombre

DESAFÍO 2

To express existence and location

Vocabulario
Muebles y objetos de la casa

Gramática
Expresar existencia. El verbo *haber*
Expresar lugar

El coquí

El Viejo San Juan

La bahía bioluminiscente

DESAFÍO 3

▶ **To express habitual actions**

Vocabulario

Las tareas domésticas

Gramática

Verbos regulares en *-ar*

Verbos regulares en *-er* y en *-ir*

DESAFÍO 4

▶ **To express obligation or necessity**

Vocabulario

Actividades de ocio

Gramática

Expresar obligación:
- *Tener que* + infinitivo
- *Hay que* + infinitivo

Adverbios de frecuencia

Las cuevas de Camuy

En San Juan

The pairs gather at *El Morro*, one of the largest forts built by the Spaniards in the Caribbean. Ana García, their host in Puerto Rico, has information about their next tasks, but they have to find her first! They get clues about her whereabouts from a group of actors re-enacting the defense of the island against a British invasion in 1797.

1 ¿Comprendes?

▶ **Une.** Match each question with the corresponding answer.

(A)	(B)
1. What place do the characters have to visit?	a. Pasea a su perro.
2. Where does Mrs. García live?	b. Al lado del coquí.
3. There are none of these in El Morro.	c. En una casa con jardín.
4. Where is Mrs. García?	d. El Viejo San Juan.
5. Mrs. García does this every day.	e. Casas.

EXPRESIONES ÚTILES

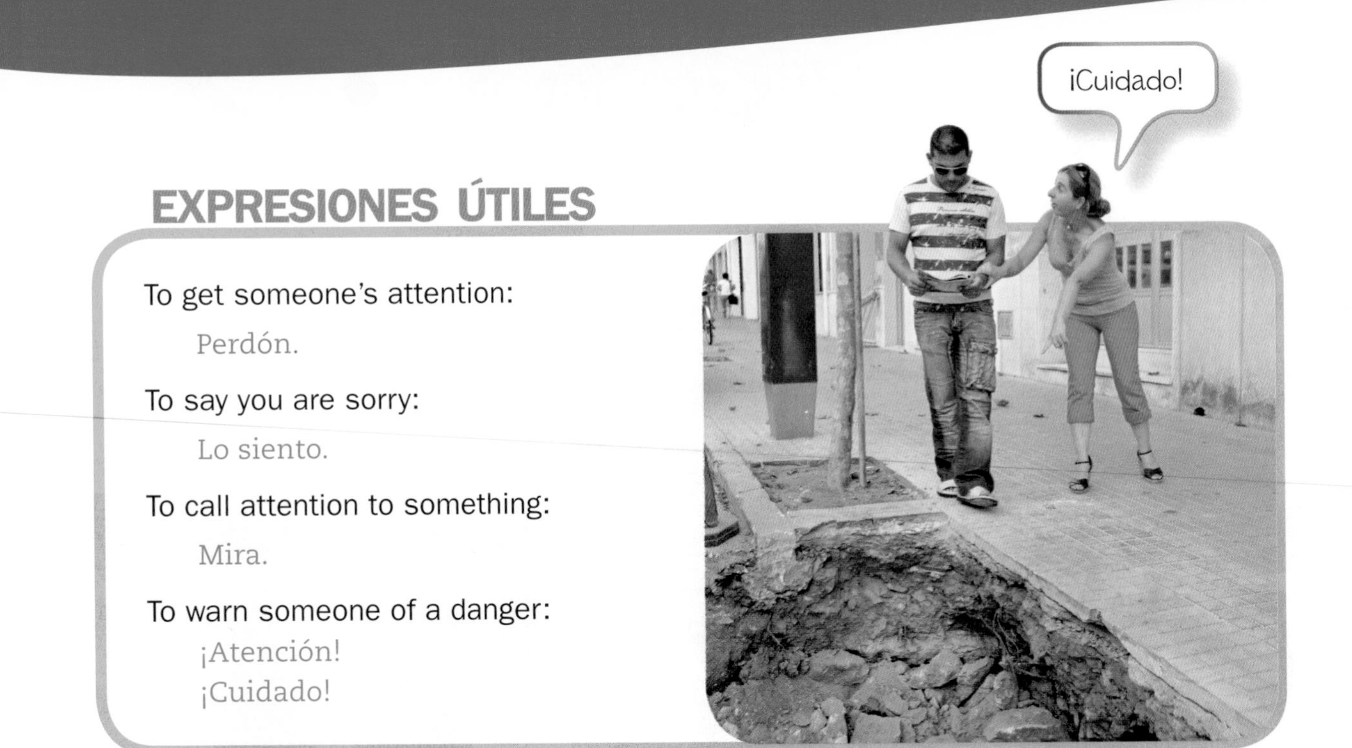

To get someone's attention:

Perdón.

To say you are sorry:

Lo siento.

To call attention to something:

Mira.

To warn someone of a danger:

¡Atención!
¡Cuidado!

2 Una conversación

▶ **Escucha y ordena.** Listen to the dialogue and write the letter of the sentences in the order you hear them.

a. Lo siento. Tengo que irme.
b. Adiós, Felipe.
c. Mira, te presento a Felipe.
d. Hola, Juan. ¿Cómo estás?

▶ **Une.** Match the expressions in the columns.

A	B
1. Lo siento. Tengo que irme.	a. Juan introduces Felipe to Carlos.
2. Adiós, Felipe.	b. Carlos says he's sorry.
3. Mira, te presento a Felipe.	c. Carlos says goodbye.
4. Hola, Juan. ¿Cómo estás?	d. Carlos says hello.

3 Expresiones

▶ **Relaciona.** Match each expression with the corresponding picture.

¡Cuidado! Lo siento. ¡Mira! Perdón.

A

B

C

D
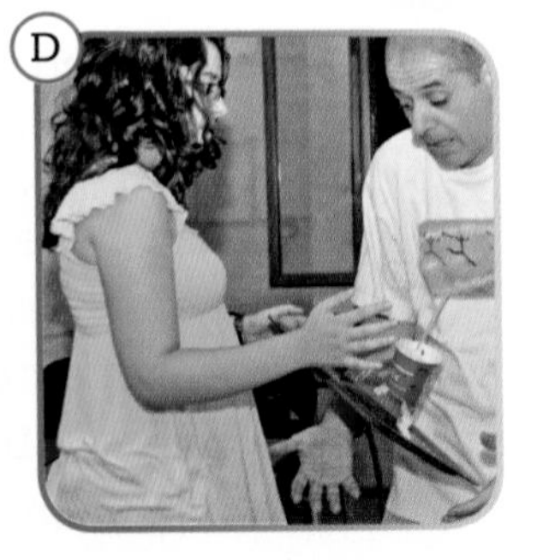

¿Quién ganará?

4 Los desafíos

▶ **Habla.** What will be the challenge for each pair? Think about this question and discuss it with your classmates.

5 Las votaciones

▶ **Decide.** You decide. You will vote to choose the most difficult challenge. Who do you think will win?

¡Difícil!

La casa más colorida

Andy and Janet are in Old San Juan. Their task is to find the most colorful house in the city and take a photo of themselves in front of it. The old cobblestone streets will slow them down, though!

Continuará...

6 Detective de palabras

▶**Completa.** Complete the statements using the *fotonovela* above.

1. Las ___1___ son pequeñas.
2. Tienen tres ___2___ y muchas ___3___.
3. Las ___4___ son de piedra.
4. ¡Los ___5___ tienen muchos colores!

▶**Habla.** Make statements describing houses and streets in your neighborhood. If you like, you can use *no*. Your partner says whether the statements are true or false.

Modelo *Las casas son altas.*

7 Las casas del Viejo San Juan

▶ **Escoge.** Choose the words that best describe the houses in Old San Juan.

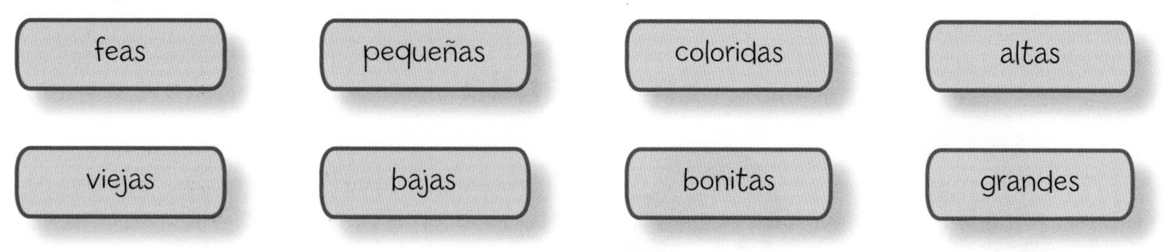

▶ **Escribe.** What are the houses like in Old San Juan? Write four sentences.

Modelo *Las casas del Viejo San Juan son pequeñas.*

8 El Viejo San Juan

▶ **Une y escribe.** Match elements from the columns using the *fotonovela* as a guide, and write sentences.

A	B
1. La	a. Viejo San Juan es bonito.
2. Las	b. casas son pequeñas.
3. El	c. calles son de piedra.
4. Los	d. edificios tienen muchos colores.
	e. casa más colorida está en el Viejo San Juan.

Modelo *Las casas son pequeñas.*

CULTURA

Las calles del Viejo San Juan

El Viejo San Juan tiene calles con bloques de piedra *(stone)*. Los bloques de piedra se llaman adoquines *(cobblestones)* y son de España. Las piedras eran *(were)* necesarias para la estabilidad de los barcos antiguos *(ancient ships)*.

9 Piensa. Why do you think the colonists used stones, rather than sand or dirt, to pave their streets? Are cobblestone streets practical today?

TU DESAFÍO Use the website to learn more about Old San Juan.

Vocabulario

La vivienda

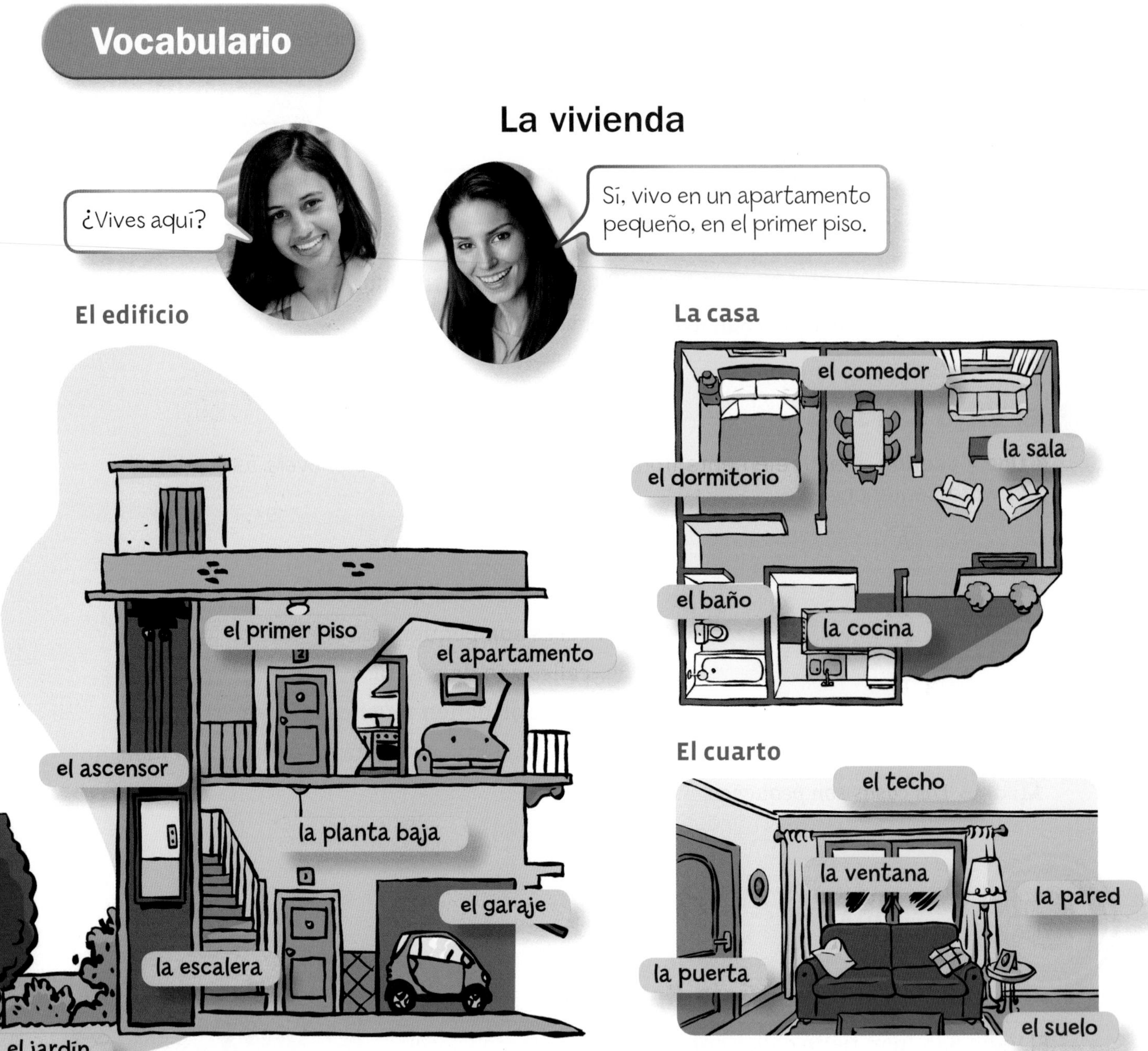

10 **Adivina**

▶ **Escucha y decide.** Listen to the clues and decide in which part of the house we are.

11 **Con tus compañeros**

▶ **Habla.** Talk with a partner about the rooms and other features in your house. Use the verb *tener*.

Modelo *En mi casa tenemos un jardín.*

12 Casas únicas

▶ **Escribe.** Describe these pictures. In each case, use the appropriate form of the verb *ser* and an adjective from the boxes.

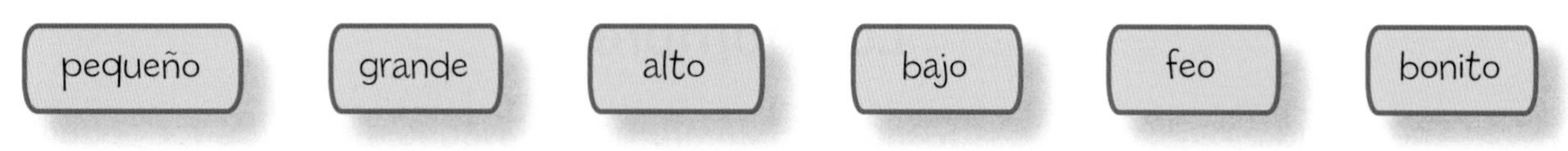

Modelo 1. *Los edificios son bajos.*

COMUNIDADES

APARTAMENTO DISPONIBLE

En Puerto Rico expresan el área de los apartamentos en metros cuadrados (m^2).

Describe. How many bedrooms and bathrooms does the apartment in the advertisement *(anuncio)* have? How many square meters does it have?

Compara. How are apartments measured in the United States? Select an ad online or in a newspaper to find out.

TU DESAFÍO Use the website to see a chart that converts feet to meters.

ANUNCIO

Rento excelente apartamento totalmente equipado

2 habitaciones,
1 baño, sala y cocina.

Exterior. 65 m^2. $ 500.

Irma: 7X7 675-5XX5

Gramática

Los nombres

- The words amigo, perro, casa, and mochila are nouns. Nouns are words for people, animals, places, and things.

Género de los nombres

- In Spanish, all nouns are either **masculine** or **feminine**, including those that do not refer to living things:
  - Almost all nouns that end in -o are masculine, and those that end in -a are usually feminine:
    Masculine: el piso, el dormitorio   Feminine: la casa, la cocina
  - Nouns that end in -e or in a consonant can be either masculine or feminine:
    Masculine: el garaje, el jardín   Feminine: la calle, la televisión
- **Formación del femenino.** Nouns that refer to people usually have a masculine and a feminine form. The feminine is formed this way:

Masculine form	Feminine form	Examples
Ends in *-o*.	Changes *-o* to *-a*.	el niño ⟶ la niña
Ends in a consonant.	Adds *-a*.	el profesor ⟶ la profesora

Número de los nombres

- Nouns can be **singular** (refer to one person, animal, place, or thing) or **plural** (more than one).
- **Formación del plural.** The plural is formed this way:

Singular form	Plural form	Examples
Ends in a vowel.	Adds *-s*.	el edificio ⟶ los edificios
Ends in a consonant.	Adds *-es*.	el ascensor ⟶ los ascensores

15 **Comparación.** Do English nouns have masculine and feminine forms? Do they have singular and plural forms?

16 **¿Cómo es tu casa?**

▶ **Une y escribe.** Match the elements in the two columns and write the questions.

A	B
1. ¿Dónde está la	a. dormitorios?
2. ¿Son grandes los	b. baño?
3. ¿Dónde está el	c. casas de tu barrio?
4. ¿Son bonitas las	d. cocina?

Modelo
¿Dónde está la cocina?

17 ¿Qué ves?

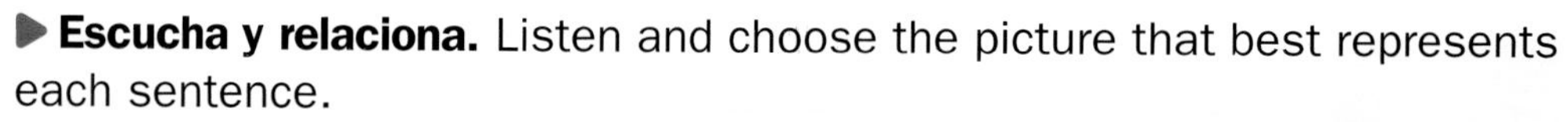

Escucha y relaciona. Listen and choose the picture that best represents each sentence.

18 Más de uno

Completa. Juan has just moved and is describing his new house to a friend. Look at the picture and complete his description.

De:

Para:

Asunto:

Cuerpo del texto | Anchura variable

¡Hola, Tomás! ¿Qué tal? Estoy en mi casa nueva. Es muy bonita. Tiene dos ___1___. En la planta baja tiene una sala grande, un comedor, una ___2___ y un baño. En el primer piso tiene tres ___3___ y dos ___4___. También tenemos un ___5___ muy bonito. ¡Estoy muy contento!

Hasta pronto.

Juan

COMPARACIONES

Los techos tropicales

Muchas casas en Puerto Rico tienen techos planos (*flat*) porque en Puerto Rico no nieva. La isla tiene un clima tropical.

19 Comparación. What features do houses in your community have that are specific to your climate? How would houses be different in another climate?

Use the website to view satellite images of houses in Puerto Rico.

Comunicación

25 Tiene un garaje...

▶ **Habla.** Look at the pictures and describe them with a partner.

Modelo A. *La casa 1 tiene dos dormitorios.*
B. *Sí, y tiene un garaje.*

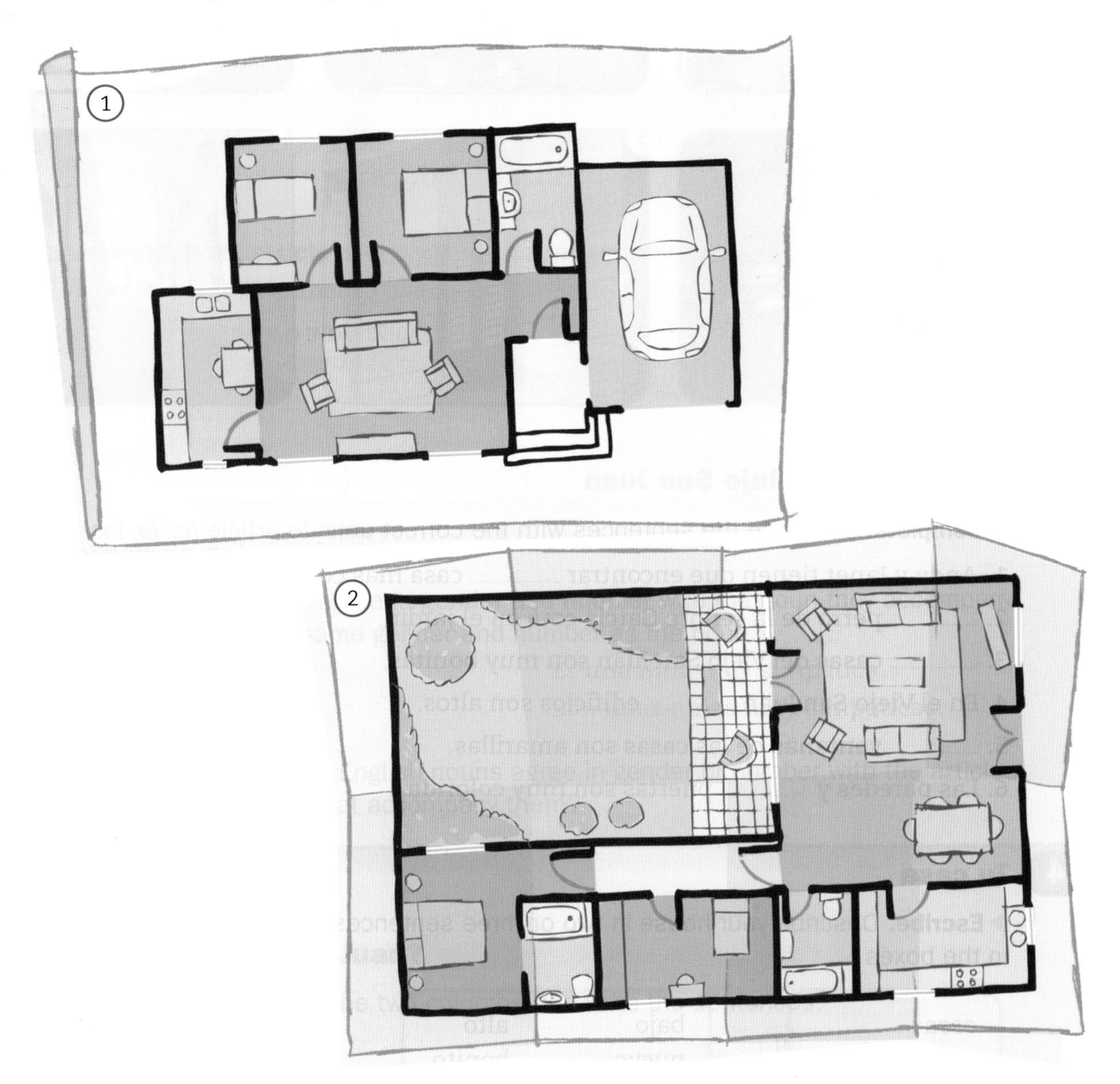

▶ **Escucha y decide.** Janet is talking about one of the apartments above, but she makes a mistake. Listen and decide which apartment (1 or 2) she is describing and what is the mistake.

26 Mi casa tiene...

▶ **Habla.** Describe your house in several sentences. Your partner listens and draws a floor plan. How accurate is his or her drawing?

Modelo *Mi casa tiene tres dormitorios. No tiene garaje...*

27 ¿Qué foto es?

▶ **Habla.** Choose one photo from this *Desafío* and describe it to a partner. He or she has to guess which photo it is.

Final del desafío

28 ¿Qué pasa en la historia?

▶ **Escribe.** Can you figure out what words are missing from the dialogue?

▶ **Representa.** Act out the dialogue. Use the appropriate gestures and tone of voice to express Janet's and Andy's feelings in each scene.

Los coquíes en la casa

Tim and Mack arrive at Ana García's home. There they have to find six *coquíes* hidden throughout the house and take photos of them.

Continuará...

29 Detective de palabras

▶ **Completa.** Complete the statements using the *fotonovela* above.

1. No hay casas feas ___1___ el Viejo San Juan.
2. ¿___2___ están los coquíes? ¿Están ___3___ de la escalera?
3. ¡Abuelo, hay un coquí ___4___ la estantería! ¡Está ___5___ de los libros!

¿Comprendes?

▶ **Escucha y decide.** Listen and decide whether the five sentences you hear are true *(cierto)* or false *(falso)*.

Modelo 1. *Cierto.*

31 ¿Dónde están?

▶ **Une.** What is the caption for each photo? Match the phrases in the columns to create the captions.

1 

2 

3 

4 

A	B
1. El coquí está	**a.** al lado de la casa.
2. Los coquíes están	**b.** en la cocina de Ana García.
3. El jardín está	**c.** detrás de la escalera.
4. Tim está	**d.** encima de los libros.

CULTURA

Los coquíes

El coquí es una rana *(frog)* pequeña. Es un símbolo de Puerto Rico. Los coquíes producen un sonido similar a su nombre: "*co-quí*".

32 ¿Cómo son los coquíes?

▶ **Elige.** Choose words to compose an accurate description of a *coquí*.

feo | pequeño | animal | simbólico | bonito | grande

33 Comparación

What animal represents your state or your country? Why do you think it was chosen as a symbol?

TU DESAFÍO Use the website to listen to a *coquí*.

Vocabulario

Muebles y objetos de la casa

En el dormitorio

En el baño

En la sala

En la cocina

34 Muebles

▶ **Escribe.** Make a list of four things that could be in each of the following rooms.

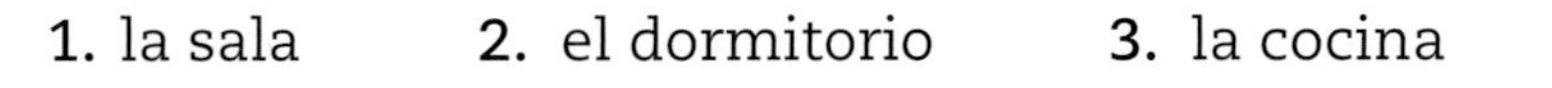

1. la sala **2.** el dormitorio **3.** la cocina **4.** el baño

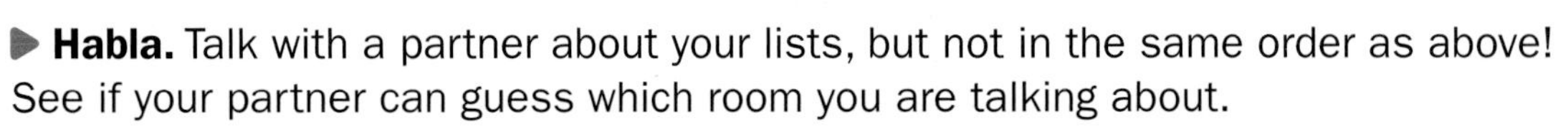

▶ **Habla.** Talk with a partner about your lists, but not in the same order as above! See if your partner can guess which room you are talking about.

Modelo *Este cuarto tiene una mesita de noche, una cama, un armario y una cómoda.*

35 Un hotel bonito

▶ **Escucha y decide.** Tim is looking at the website of his hotel in San Juan. He is describing the photos aloud to Mack. Listen and decide which one he is describing in each sentence.

36 ¿Dónde está el sofá?

▶ **Escribe.** Answer the questions by indicating the most logical place for each.

Modelo ¿Dónde está el sofá? ⟶ *El sofá está en la sala.*

1. ¿Dónde está la ducha?
2. ¿Dónde está el refrigerador?
3. ¿Dónde están las camas?
4. ¿Dónde está el carro?
5. ¿Dónde están las sillas y la mesa?
6. ¿Dónde está el microondas?

▶ **Habla.** Now ask a classmate where five other items are. You should both ask and answer in complete sentences, as in the activity above.

CULTURA

La Casa Blanca

La Casa Blanca de San Juan de Puerto Rico es un monumento histórico. Es la casa de la familia Ponce de León, el explorador español. Hoy, esta mansión es un museo.

37 Comparación. What is one of the oldest buildings in your community? What was it originally used for?

TU DESAFÍO Use the website to learn more about the Casa Blanca.

Gramática

Expresar existencia. El verbo *haber*

La forma verbal *hay*

- In Spanish, the form hay is used to express existence. It is equivalent to *there is/are*.

  Hay un dormitorio en mi casa. **Hay** dos ventanas en la sala.

- The Spanish form equivalent to *there isn't* or *there aren't* is no hay:

  No hay dormitorios grandes. **No hay** jardín en el hotel.

Preguntas con *hay*

- To ask about the existence of something, use hay:

  ¿**Hay** garaje en la casa?

  Answers usually include Sí or No:

  – Affirmative: **Sí, hay** un garaje pequeño.

  – Negative: **No, no hay** garaje en la casa.

- To ask how many people, animals, or things there are, use the question words cuánto, cuánta, cuántos, or cuántas followed by a noun and hay.

  ¿**Cuántos** dormitori**os** hay en la casa? ¿**Cuántas** sal**as** hay en la casa?

  Notice that the question word agrees in number and gender with the noun.

- To ask where something can be found, use the question word dónde followed by hay:

  ¿**Dónde hay** un garaje?

Note: In Spanish, questions are punctuated with a question mark at the beginning (¿) and at the end (?) of the sentence.

38 **Piensa.** How are questions punctuated in English? Which punctuation marks are used at the beginning and end of English sentences?

39 **En la foto...**

▶ **Escribe.** Write two sentences for each photo. In the first, write about one thing that appears in the photo; in the second, write about one thing that does not appear.

1 

armario - cómoda

2 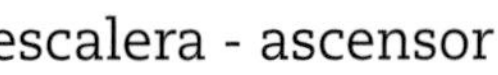

escalera - ascensor

3 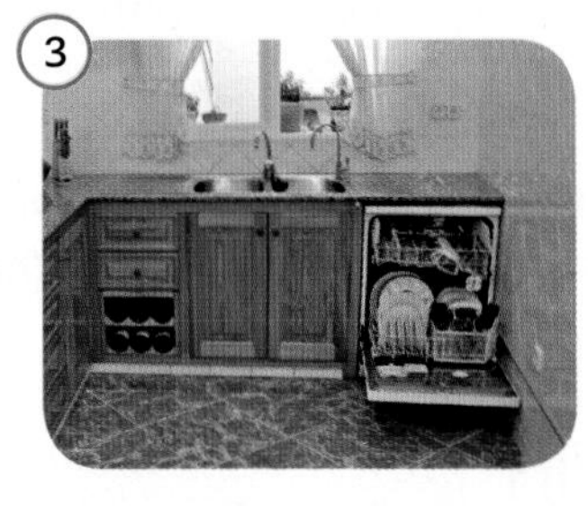

lavaplatos - microondas

4 

sofá - mesa

Modelo 1. *Hay una cómoda. No hay armario.*

40 La casa del abuelo Mack

Escucha. Mack is describing his house. Listen and say whether these statements are true *(cierto)* or false *(falso)*.

1. Hay tres dormitorios.
2. Hay tres baños.
3. Hay un jardín con muchas flores.
4. En la sala, hay un sofá muy bonito.
5. Hay un garaje grande.

41 En tu casa

Habla. With a partner, write what is in this house, using complete sentences. Say how many there are of each thing. Can you list everything?

Modelo *Hay dos dormitorios y una sala.*

42 En tu salón de clase

Habla. Choose four of the words in the box to describe your classroom, and ask a partner how many of them there are. Your partner will ask you about the remaining four. Answer in complete sentences.

sillas	relojes
televisores	profesores
puertas	chicas
chicos	ventanas

Gramática

Expresar lugar

La construcción *estar en*

- To say where things are, use the verb estar followed by words that express place.

  El coquí **está en** el jardín.

- The preposition en expresses location. It is equivalent to the English words *at*, *in*, *on*, and *inside*.

  El coquí está **en** la sala. El coquí está **en** la estantería.

Adverbios y expresiones de lugar

- Many other words and phrases are used to show location.

¿Dónde están los coquíes?

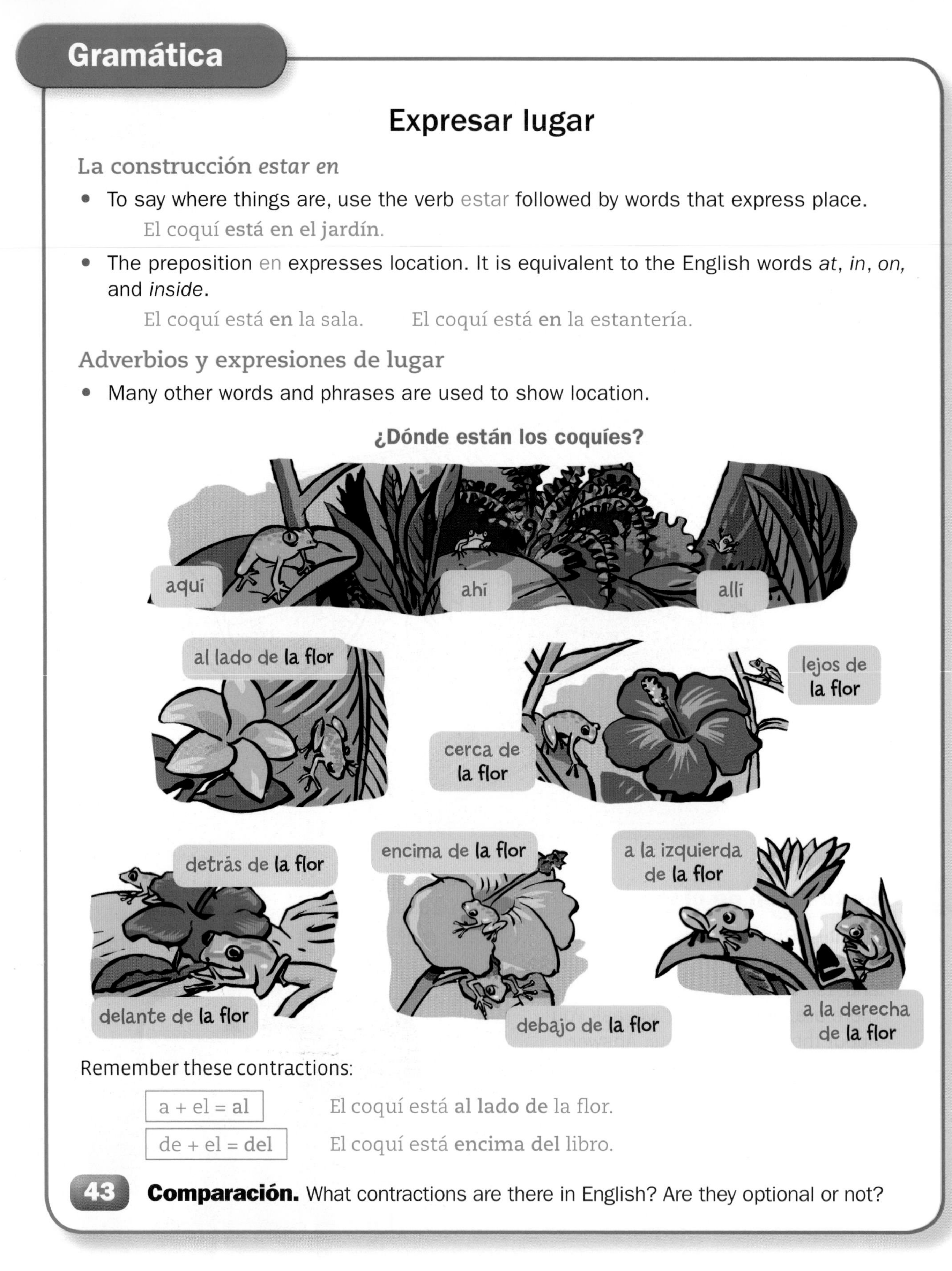

Remember these contractions:

a + el = **al**	El coquí está **al lado de** la flor.
de + el = **del**	El coquí está **encima del** libro.

43 **Comparación.** What contractions are there in English? Are they optional or not?

¿Dónde está el gato?

Habla. Ask a partner where the cat is in each picture.

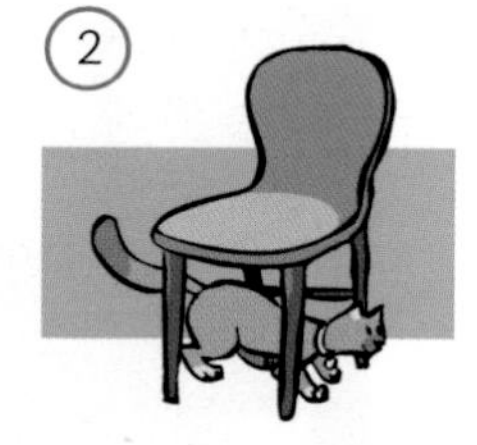

Modelo A. *¿Dónde está el gato en el dibujo 1?*
B. *El gato está a la izquierda de la silla.*

45 ¿Qué hay y dónde está?

Escribe. Choose five things you see in this photo and write sentences indicating where each one is. Use the verb *estar*.

Modelo *El televisor está lejos del sofá.*

46 ¿Dónde está ahora?

Escribe. Say where these things are right now. Be very specific.

Modelo mi CD favorito
→ *Mi CD favorito está en mi cuarto, encima de mi mesita de noche.*

1. mi libro favorito
2. mi cama
3. mi cómoda
4. mi armario
5. mi mesita de noche
6. mis lápices
7. mis cuadernos
8. mis bolígrafos

CONEXIONES: CIENCIAS

El Yunque

El Yunque es el único bosque (*forest*) tropical en los parques nacionales de los Estados Unidos. Allí viven muchos coquíes y muchos animales y plantas diferentes.

47 Piensa. What kinds of animals might you find in a tropical rainforest? What conditions do they need to survive?

TU DESAFÍO Visit the website to view the flora and fauna in El Yunque.

Comunicación

48 La cocina de Ana García

▶ **Escucha.** Tim is talking to Andy about Ana García's kitchen. Listen to the five statements and decide whether each one is true *(cierto)* or false *(falso)*.

49 En el hotel

▶ **Lee y dibuja.** Tess is describing her hotel room in Puerto Rico to Marisa. Read her description and use it to draw a picture or a floor plan of the room.

¡Hola, Marisa! ¿Cómo estás?

Mi hotel aquí en Puerto Rico está muy bien. Mi cuarto está en el primer piso. Tiene una cama grande y un sofá cerca de la ventana. El televisor está encima de una mesa pequeña, delante del sofá. El baño es magnífico: el inodoro, la bañera y el lavabo son muy modernos. No tengo cocina, pero hay una mesa y un pequeño refrigerador.

Detrás del hotel, hay un jardín grande con mesas y sillas. ¡Hay coquíes en el jardín! ¡Los coquíes son muy graciosos!

Hasta pronto.

Tess

Marisa Pérez
Avenida Morelia 23
Colonia Centro
Ciudad de México
México 45230

▶ **Escribe.** Now write a postcard to Marisa and describe a room in your home. Describe everything it has and where each item is located. Include a photo or make a drawing on the back.

▶ **Presenta.** Present your description to your classmates.

Modelo

Mi casa está en...
Tiene...

50 Diferencias

▶ **Habla y escribe.** With a partner, find four differences between the rooms below. Say and write the differences in Spanish.

Modelo A. *En el dibujo 1, hay dos sofás.*
B. *Y en el dibujo 2, hay uno.*

Final del desafío

51 ¿Qué pasa en la historia?

▶ **Escribe y representa.** Fill in Tim and Mack's dialogue for these scenes. Some blanks may require more than one word. Then act out the dialogue.

¿Quién prende la luz?

Diana and Rita are at the Mosquito Bay, a bioluminescent bay in Vieques, Puerto Rico. There they have to solve a riddle: *“¿Quién prende la luz por la noche en la Bahía de Mosquito?”* Will their guide be able to help?

Hay luces en las casas, pero están lejos de la bahía.

Continuará...

52 Detective de palabras

▶Elige. Complete the sentences with an appropriate word from the box.

está
están
Toco
comprendo
prende

1. Yo no ______ el enigma.
2. ¿Quién ______ la luz en la Bahía de Mosquito?
3. Las luces ______ lejos de la bahía.
4. La luz ______ dentro de la bahía.
5. ¿______ el agua?

53 ¿Comprendes?

▶ **Contesta.** Diana's father wants to know about her adventure at the *bahía*. Answer his questions.

1. ¿Cómo se llama la bahía?
2. ¿Dónde están las casas?
3. ¿Dónde está la luz de la bahía?
4. ¿Quién prende la luz de la bahía?

54 Fotos de la bahía

▶ **Escucha y completa.** Listen and complete the sentences with the missing words.

1. Diana no _____ el enigma.
2. Las casas _____ lejos de la bahía.
3. Rita _____ el agua.
4. La luz _____ dentro del agua.

▶ **Escucha y relaciona.** Listen again and match each sentence with the correct photo.

A

B

C

D
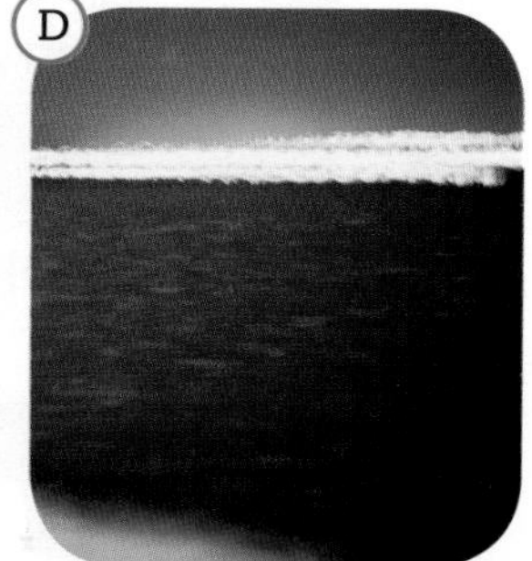

CULTURA

La Bahía de Mosquito

En Puerto Rico hay una bahía bioluminiscente considerada reserva ecológica. Se llama Bahía de Mosquito y está en la isla de Vieques, al este de Puerto Rico.

La Bahía de Mosquito tiene la mayor concentración de organismos bioluminiscentes del mundo.

55 Piensa. What does the word *bioluminescent* mean? Can you think of any other creatures that are bioluminescent?

TU DESAFÍO Use the website to learn more about this fascinating natural phenomenon.

Vocabulario

Las tareas domésticas

apagar la luz

56 Tareas en la casa

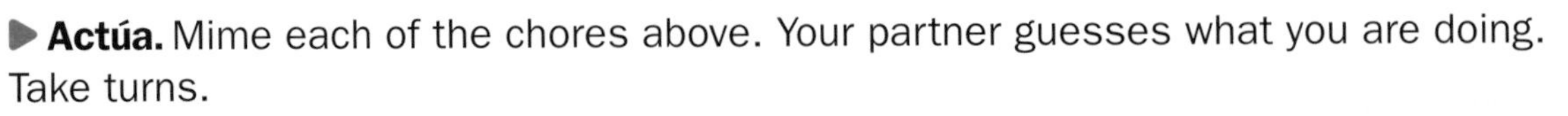

▶ Actúa. Mime each of the chores above. Your partner guesses what you are doing. Take turns.

Modelo A. *Limpiar el baño.*
B. *¡Sí!*

57 Pistas

▶ **Escucha y decide.** Listen to what Ana García tells her daughter and decide which of the chores she is talking about.

Modelo 1. *Sacar la basura.*

58 ¡Prepara la casa!

▶ **Escribe.** Look at the photos and write a list of the chores Ana García has to do today.

Modelo 1. *Lavar los platos.*

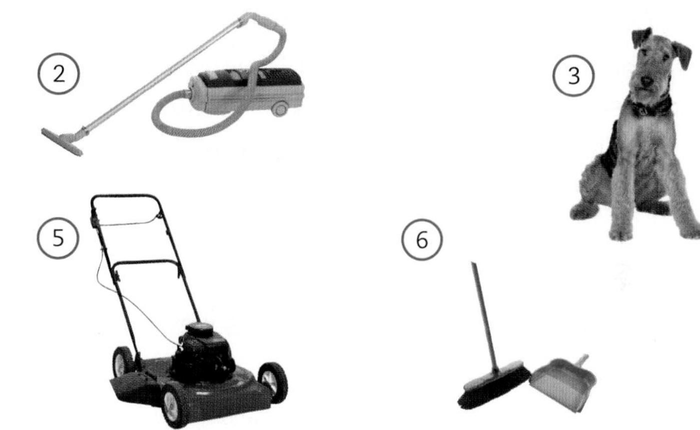

59 Tareas preferidas

▶ **Escribe y habla.** Rank the chores on page 116 from 1 (your least favorite) to 4 (your favorite). Then compare your answers with a partner's.

▶ **Escribe.** Answer the questions about the chores you listed.

1. ¿Cuáles son tus tareas favoritas?
2. ¿Qué tareas tienes dentro de la casa?
3. ¿Qué tareas tienes fuera de la casa?

CONEXIONES: MATEMÁTICAS

Una encuesta

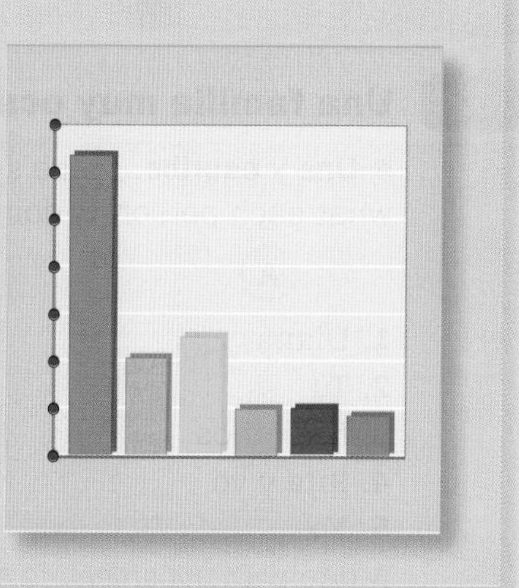

60 Un gráfico

▶ **Habla y escribe.** Take a poll in class to see which chores rank highest and lowest in activity 59. Record your classmates' answers.

▶ **Presenta.** Make a bar graph to show your results. Write the numbers under each bar in the chart. Be prepared to present your graph to the class.

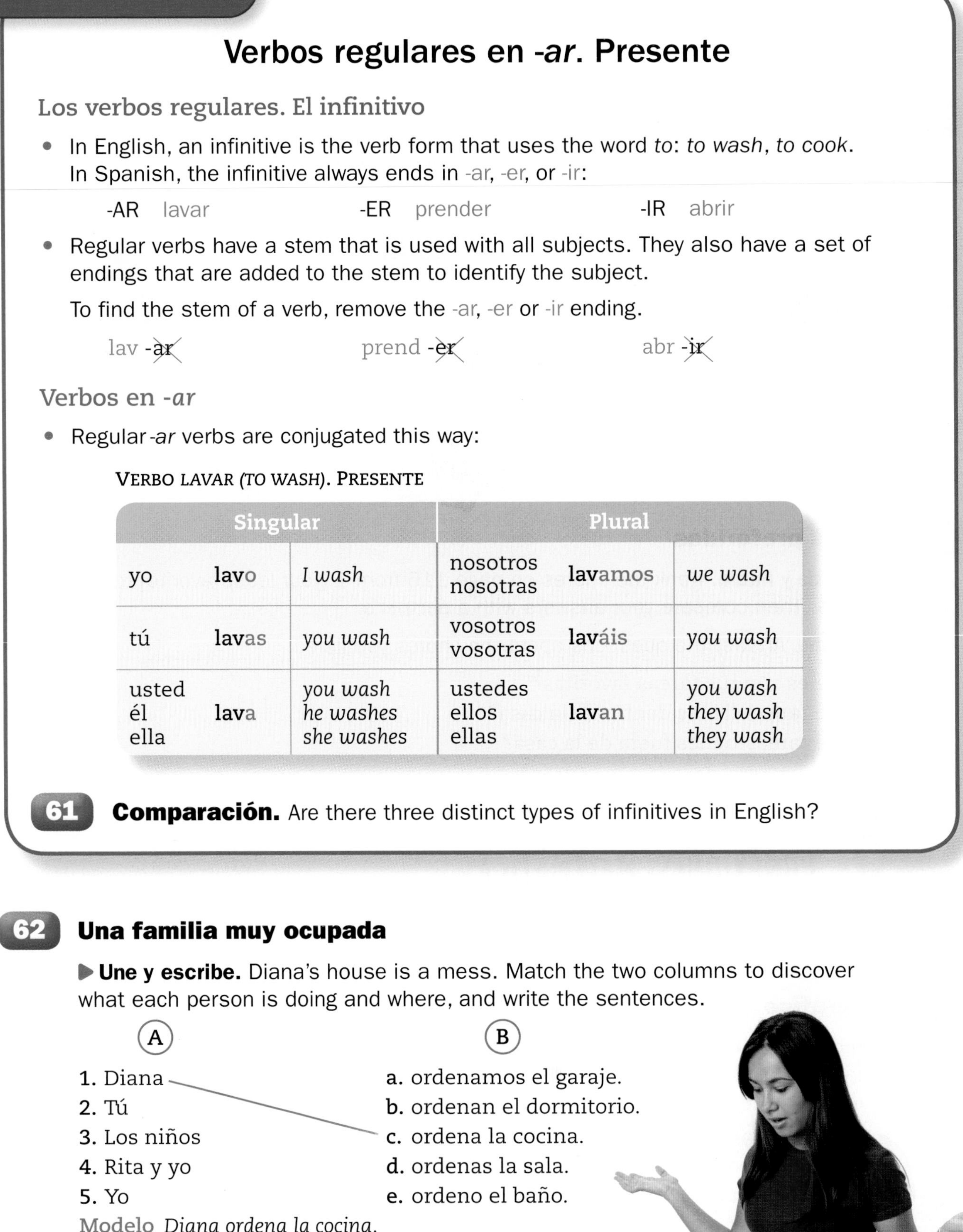

Gramática

Verbos regulares en *-ar*. Presente

Los verbos regulares. El infinitivo

- In English, an infinitive is the verb form that uses the word *to*: *to wash*, *to cook*. In Spanish, the infinitive always ends in -ar, -er, or -ir:

  -AR lavar   -ER prender   -IR abrir

- Regular verbs have a stem that is used with all subjects. They also have a set of endings that are added to the stem to identify the subject.

  To find the stem of a verb, remove the -ar, -er or -ir ending.

  lav ~~-ar~~   prend ~~-er~~   abr ~~-ir~~

Verbos en *-ar*

- Regular *-ar* verbs are conjugated this way:

VERBO LAVAR (*TO WASH*). PRESENTE

Singular			Plural		
yo	lavo	*I wash*	nosotros nosotras	lavamos	*we wash*
tú	lavas	*you wash*	vosotros vosotras	laváis	*you wash*
usted él ella	lava	*you wash* *he washes* *she washes*	ustedes ellos ellas	lavan	*you wash* *they wash* *they wash*

61 **Comparación.** Are there three distinct types of infinitives in English?

62 **Una familia muy ocupada**

▶ **Une y escribe.** Diana's house is a mess. Match the two columns to discover what each person is doing and where, and write the sentences.

A	B
1. Diana	a. ordenamos el garaje.
2. Tú	b. ordenan el dormitorio.
3. Los niños	c. ordena la cocina.
4. Rita y yo	d. ordenas la sala.
5. Yo	e. ordeno el baño.

Modelo *Diana ordena la cocina.*

63 Gente limpia

▶ **Completa.** Everyone has a chore to do in Puerto Rico. Use the information in the list and the verb *limpiar* to write complete sentences about what each person does.

Modelo Diana - la cocina ⟶ *Diana limpia la cocina.*

Tareas para hoy

1. Mack – el baño	4. Rita y Tim – la estufa
2. Patricia y Tess – la sala	5. ustedes – el suelo
3. Andy y yo – el refrigerador	6. tú – el dormitorio

64 ¿Qué hacen?

▶ **Habla y escribe.** With a partner, describe what each person is doing and where they are.

Modelo 1. *El hombre lava los platos en la cocina.*

Asopao

Una comida típica de Puerto Rico es el asopao. Es una sopa inspirada en la paella española. El asopao y la paella son platos tradicionales. Tienen arroz *(rice)*, carne *(meat)* y verduras *(vegetables)* cocinados juntos.

65 Comparación. Can you think of any dishes in your culture or in others that combine different food groups?

TU DESAFÍO Use the website to read an *asopao* recipe.

Las cuevas de Camuy

Tess and Patricia have to hike the Camuy Caves in northern Puerto Rico. They have to find a rare species of blind fish while they are there and take a photo. There are a lot of preparations for this excursion!

Continuará…

75 Detective de palabras

▶**Adivina.** Use the *fotonovela* above to guess the meanings of the following words.

1. llevar
2. cámara
3. linterna
4. preparar
5. botas
6. cueva
7. entrar
8. peces (pez)

▶**Comprueba.** Now look up each word in the *Glosario español-inglés* to check your guesses.

▶**Habla.** With a partner, make a list of the things you probably need to do before or during such an adventurous excursion. Use the words above and others you know.

Modelo *Preparar la linterna.*

76 ¿Comprendes?

▶ **Escribe.** The guide wants to know about Tess and Patricia's excursion. Answer his questions.

1. ¿Quién lleva la cámara?
2. ¿Quién prepara los sándwiches?
3. ¿Quién lleva la mochila?
4. ¿Quién lleva botas?
5. ¿Quién lleva la linterna?

77 Actividades de preparación

▶ **Escucha y ordena.** Tess is talking about the preparations for the excursion. Listen and put the images in order based on what you hear.

▶ **Escribe.** What phrase did you hear in all the sentences? What do you think it means?

CULTURA

Las cuevas de Camuy

En el norte de Puerto Rico están las cuevas de Camuy. Es uno de los sistemas de cuevas más grandes del mundo *(world)*. Allí viven muchos animales raros.

En las cuevas hay un río, el río Camuy. Es el tercer *(third)* río subterráneo más grande del mundo.

78 Piensa y habla. Would you like to explore the caves of Camuy? Why or why not? What kind of animals do you think live in the caves?

TU DESAFÍO Use the website to plan your adventure in the *cuevas de Camuy*.

Vocabulario

Actividades de ocio

79 Preferencias

▶ **Escucha y decide.** Diana and Tess are comparing their free-time activities. Listen and decide whether you agree or disagree with each.

80 Fotos del viaje

▶ **Escribe.** Patricia took these photos in Puerto Rico. Caption each according to the subject.

Modelo 1. *Ana habla por teléfono.*

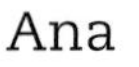

1 Ana | 2 Marta | 3 las niñas | 4 Luisa y Paula | 5 María

81 Conclusiones lógicas

▶ **Escucha.** Tess is talking about her friends. Listen and choose the most logical conclusion.

a. Ella tiene hambre.
b. Ellos son muy atléticos.
c. Él es muy sociable.
d. Ella es muy responsable.

82 Los planes de Mónica

▶ **Lee, escucha y escribe.** Mónica, Ana García's daughter, has over planned her weekend activities. Read her notes and then listen as she talks about them. Is she going to do these things alone or with someone?

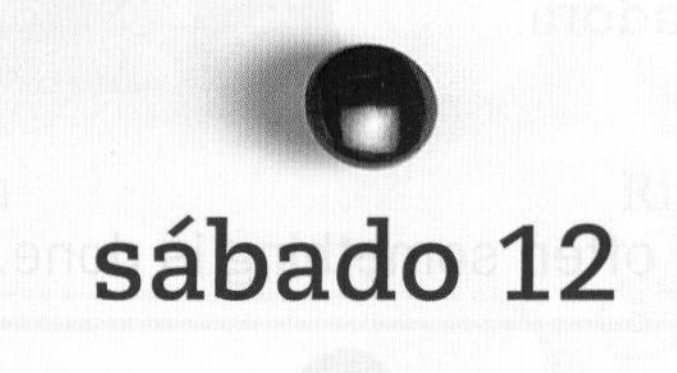

sábado 12

1. Escribir correos electrónicos a Juan y a Carmen.
2. Escuchar el CD de Beyoncé.
3. Ver la televisión a las ocho. ¡La máscara del Zorro!
4. Cuidar a mi gato.
5. Leer la revista Tiempo.

domingo 13

1. Preparar los sándwiches para el picnic.
2. Hablar por teléfono con el tío Carlos.
3. Usar la computadora: ¡las tareas de Ciencias!

Modelo *Escribe correos electrónicos sola.*

83 ¿Qué prefieres?

▶ **Habla.** Talk with a partner about each pair of activities. Say which one you do more.

Modelo A. *¿Ves la televisión o usas la computadora?*
B. *Veo la televisión.* (The *yo* form of *ver* is **veo**.)

1. ¿Sacudes los muebles o cuidas a la mascota?
2. ¿Hablas por teléfono o escribes correos electrónicos?
3. ¿Preparas sándwiches o preparas sopas?
4. ¿Lees revistas o hablas por teléfono?
5. ¿Ordenas la casa o escuchas música?

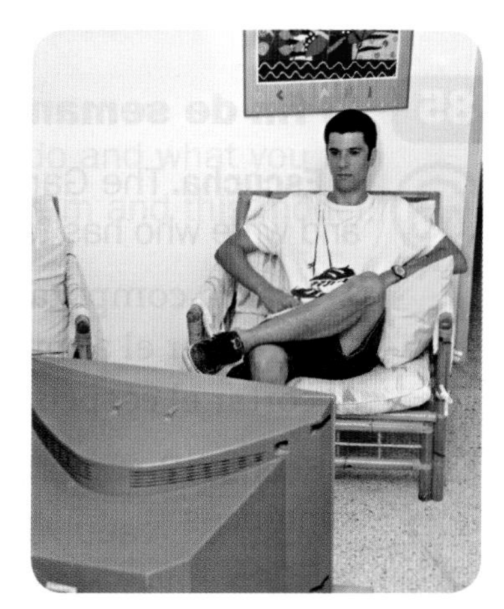

Todo junto

ESCUCHAR

93 El fin de semana de Janet y Tim

▶ **Escucha y decide.** Listen to Janet and Tim talking about what they do on the weekends at home and decide who does each of these activities.

	Janet	Tim
1. Pasar la aspiradora.		
2. Lavar los platos.		
3. Cortar el césped.		
4. Cuidar a la mascota.		
5. Escribir correos electrónicos a los amigos.		
6. Hablar por teléfono con los amigos.		

LEER Y ESCRIBIR

94 Una página misteriosa

▶ **Lee y escribe.** Diana found this page from an old diary in an antique shop in Old San Juan. Read it, and answer the questions.

1. ¿Quién escribe el diario?
2. ¿Cómo es la casa?
3. ¿Dónde está la casa?
4. ¿Qué tareas realizan estas personas?

25 de octubre de 1518

Mi casa de Caparra es bonita. Mi madre y yo estamos muy bien aquí. La sala y la cocina son muy grandes. Casi siempre tenemos que abrir las ventanas y las puertas porque aquí hace calor. Mi dormitorio es pequeño. Hay una cama y una mesita de noche.

Mi madre y yo tenemos muchas tareas. Todos los días ella barre el suelo. A veces yo preparo un plato con arroz, carne y verduras. Aquí se llama asopao. También lavo los platos y limpio la casa.

Tengo ganas de visitar la bahía, pero está muy lejos de aquí. Mi tío Juan Ponce de León tiene una casa allí. Sus cartas son muy interesantes.

HABLAR Y ESCRIBIR

95 Un diario en fotos

▶ **Escribe.** Make a list of the activities you and your family do at home over three days.

▶ **Escribe.** Use photos or draw pictures of the most common activities, and write a caption for each one. The caption should introduce the people in the photos, and say how often each activity is done.

Modelo

Mi madre y mi hermana lavan el carro muchas veces.

Yo paseo a mi perro todos los días.

▶ **Presenta.** Assemble the photos into a diary. Be creative! Share your diary with your classmates in an oral presentation.

CONEXIONES: ARQUITECTURA

Las casas de los indígenas de Puerto Rico

En Puerto Rico hay dos tipos de casas indígenas: el *bohío* y el *caney*.

El *bohío* es de forma circular y tiene un techo cónico. No tiene ventanas. Tiene un suelo de tierra y pocos muebles.

El *caney* es más grande y de forma rectangular. Tiene ventanas y más muebles que el *bohío*. El *caney* es la casa del cacique, el jefe de la comunidad.

96 **Piensa y contesta.** Answer the questions.

1. ¿Esta foto es de un bohío o de un caney? ¿Cómo lo sabes? *(How can you tell?)*
2. ¿Qué crees que hay dentro de esta casa? ¿Quién vive allí?
3. Imagina que vives en un bohío. ¿Qué tareas tienes?

→ TU DESAFÍO Listen to the questions for your *Minientrevista Desafío 4* on the website.

En el Viejo San Juan

The four pairs return to Old San Juan. They all bring the proof of their completed tasks. Who will win the challenge in Puerto Rico?

Al llegar

Escribe. As each pair reaches the finish line, local journalists are waiting to interview them. Write questions for the journalists to ask. Be sure to mention:

- The names of each pair and a brief description of each person.
- Where each pair is from, and what each person often has to do and feels like doing at home.
- Where items or people are in the photo of the task.
- How often the people do activities similar to the ones for their task.

Habla. Now use your questions to interview a classmate. Your classmate pretends to be one of the characters. Record his or her answers. Then switch roles.

Modelo A. *¿Cómo te llamas?*
B. *Me llamo Patricia.*
A. *¿Y de dónde eres?*

Las votaciones

Decide. Which pair has done the most difficult challenge? Take a vote to decide.

Mercado de artesanía en San Juan.

Puerto Rico

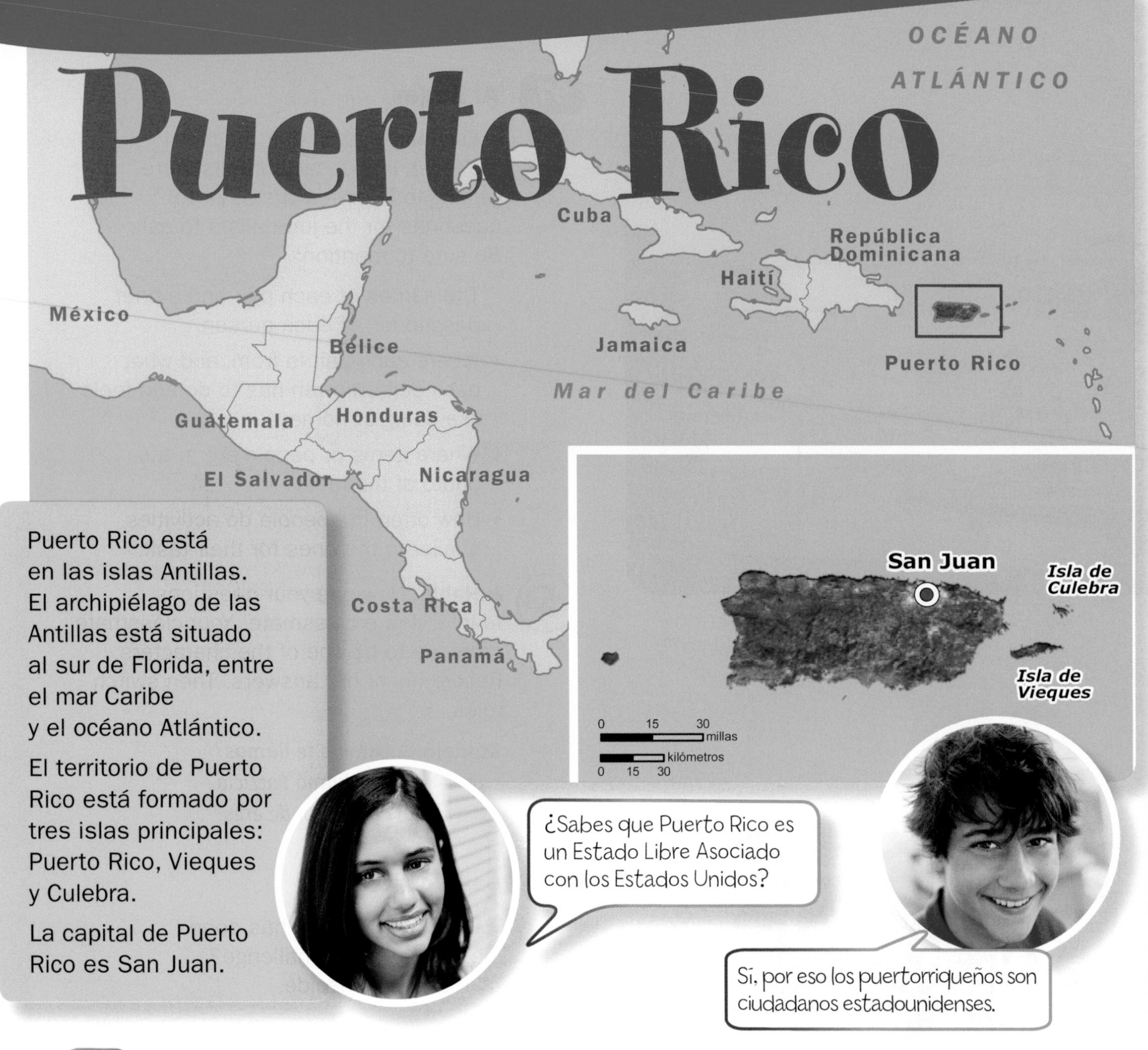

Puerto Rico está en las islas Antillas. El archipiélago de las Antillas está situado al sur de Florida, entre el mar Caribe y el océano Atlántico.

El territorio de Puerto Rico está formado por tres islas principales: Puerto Rico, Vieques y Culebra.

La capital de Puerto Rico es San Juan.

99 ¿Dónde?

▶ **Lee y escribe.** Read the sentences and say which country each one refers to.

- Está al sur de Nicaragua.
- Está al oeste de Haití.
- Está al este de República Dominicana.

▶ **Habla.** Play a guessing game with a partner. Choose a place on the map, then give your partner a clue. He or she asks questions to find out where you are. Take turns.

Modelo A. *Estoy al norte de El Salvador.*
B. *¿Estás en Guatemala?*
A. *Sí.*

Puerto Rico y el Caribe

1. El mar Caribe

The West Indies, Mexico, Central America, Colombia, and Venezuela surround the Caribbean Sea. It is a warm sea, also called Sea of the Antilles.

(1) Pequeñas islas del Caribe.

(2) Playa de Samaná en la República Dominicana.

2. Las Antillas

The archipelago of the Antilles is formed by many islands and many countries.

There are three Spanish-speaking countries in the Antilles: Cuba, the Dominican Republic, and Puerto Rico. On other islands they speak other languages, such as English (Jamaica), French (Haiti), and Dutch (Aruba).

(3) Playa de Faro Maunabo en Puerto Rico.

3. La isla de Puerto Rico

The island of Puerto Rico is made up of a mountain range called the *Cordillera Central* and large coastal areas. San Juan, the capital of Puerto Rico, is in the North.

100 Describir el Caribe

▶ **Escribe.** Fill in the chart using the information above.

Puerto Rico and the Caribbean	
Islands in the Caribbean Sea	Languages spoken in the Caribbean
Antillas	

▶ **Responde.** Why do you think so many languages are spoken in the Caribbean?

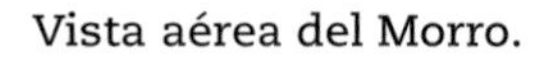

Vista aérea del Morro.

Garita.

READING STRATEGY

Key concept synthesis

As you go through a reading, look for clues that will help you identify key concepts.

Key concepts are the most important ideas that you would talk about when explaining a text to someone who has not read it.

Clues that may help you identify key concepts are the title, the illustrations, words that stand out because of their color or the thickness of the line (bold type), the topic sentence in each paragraph, summary statements, and the conclusions.

El Morro

Blog de viajes

El castillo de San Felipe del Morro

Puerto Rico, 22 de enero de 2010

Mi nombre es Ricky, tengo 16 años y soy de Puerto Rico. Mi lugar favorito en San Juan es el **castillo de San Felipe del Morro**.

El Morro es uno de los fuertes más antiguos de América. Es un castillo del siglo XVI. Los españoles hacen el castillo para defender la ciudad de los ataques por mar.

Dentro del Morro hay un laberinto de túneles, pasajes y rampas y unas torres llamadas garitas.

¡Tienes que visitar el castillo! ¡Imagina el fuego de los cañones y el asalto de los piratas! Además, desde El Morro hay unas vistas fantásticas.

Hoy El Morro da la bienvenida a los barcos que entran en la bahía de San Juan y ofrece a sus visitantes casi 500 años de historia.

ESTRATEGIA **Sintetizar los conceptos clave**

Conceptos clave

▶ **Lee, habla y escribe.** Read the blog, and discuss El Morro. Then use the most important ideas in the text to complete this table. Use the column on the left for the important concepts from the reading and the one on the right to note connections with other parts of the text.

Key concepts	Supporting details in the text
1. El Morro es un fuerte muy antiguo.	1. El Morro tiene casi 500 años de historia.

COMPRENSIÓN

¿Qué sabes sobre El Morro?

▶ **Elige.** Read the sentences and say which ones are true *(ciertas)*.

1. El Morro es el fuerte más antiguo del Nuevo Mundo.
2. El Morro está en la bahía de San Juan.
3. El Morro es un edificio defensivo.
4. En Puerto Rico hay piratas.

104 Un monumento histórico

▶ **Escribe.** Write a short text describing a famous historic monument. Include these points:

- Cuál es su nombre.
- Dónde está.
- Cómo es.
- Qué cosas hay.

Fuerte de San Jerónimo (San Juan).

Earn points for your own challenge! Visit the website to learn more about *El Morro*.

La vivienda

El edificio

el apartamento — *apartment*
el ascensor — *elevator*
la escalera — *stairs*
el garaje — *garage*
el jardín — *yard*
la planta baja — *ground floor*
el primer piso — *first floor*

La casa

el baño — *bathroom*
la cocina — *kitchen*
el comedor — *dining room*
el dormitorio — *bedroom*
la sala — *living room*

El cuarto

la pared — *wall*
la puerta — *door*
el suelo — *floor*
el techo — *ceiling*
la ventana — *window*

Muebles y objetos de la casa

En el dormitorio

el armario — *closet*
la cama — *bed*
la cómoda — *dresser*
la mesita de noche — *nightstand*

En la sala

la estantería — *bookcase*
la mesa — *table*
la silla — *chair*
el sofá — *sofa*
el televisor — *television set*

En el baño

la bañera — *bathtub*
la ducha — *shower*
el inodoro — *toilet*
el lavabo — *sink*

En la cocina

la estufa — *stove*
el lavaplatos — *dishwasher*
el microondas — *microwave oven*
el refrigerador — *refrigerator*

Las tareas domésticas

barrer el suelo — *to sweep the floor*
cortar el césped — *to cut the grass*
lavar los platos — *to wash the dishes*
limpiar el baño — *to clean the bathroom*
ordenar la casa — *to straighten up the house*
pasar la aspiradora — *to vacuum*
pasear al perro — *to walk the dog*
sacar la basura — *to take the trash out*
sacudir los muebles — *to dust the furniture*

Acciones habituales en la casa

abrir la ventana — *to open the window*
apagar la luz — *to turn the light off*
prender la luz — *to turn the light on*

Actividades de ocio

cuidar a la mascota — *to take care of a pet*
escuchar música — *to listen to music*
escribir un correo electrónico — *to write an e-mail*
hablar por teléfono — *to talk on the phone*
leer una revista — *to read a magazine*
usar la computadora — *to use the computer*
ver la televisión — *to watch TV*

tener ganas de — *to feel like*

DESAFÍO 1

1 **¿Dónde están?** Where is it? Match each item in column A with a place in column B.

(A)	(B)
1. la estufa	a. el jardín
2. la cama	b. el baño
3. la ducha	c. la sala
4. el césped	d. la cocina
5. el sofá	e. el dormitorio

DESAFÍO 2

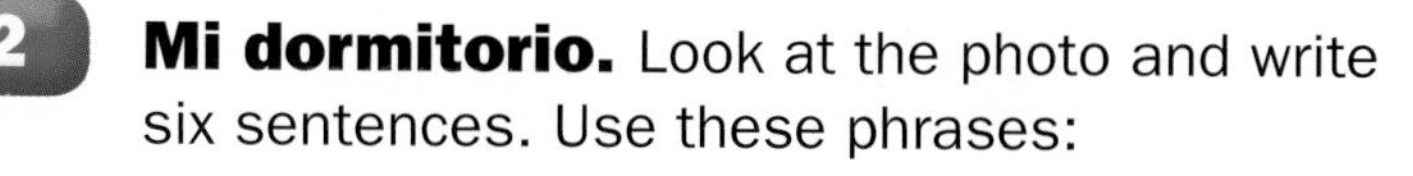

2 **Mi dormitorio.** Look at the photo and write six sentences. Use these phrases:

Modelo *La silla está delante de la mesa.*

1. delante de
2. detrás de
3. a la izquierda de
4. a la derecha de
5. encima de
6. al lado de

DESAFÍO 3

3 **Actividades y lugares.** Complete each sentence with the logical option.

1. En una cocina...
   a. cortamos el césped. b. paseamos al perro. c. preparamos sándwiches.
2. En tu dormitorio...
   a. lavas los platos. b. sacas la basura. c. usas la computadora.
3. En el jardín...
   a. corto el césped. b. sacudo los muebles. c. limpio el baño.
4. En el baño...
   a. limpio el inodoro. b. veo la televisión. c. paso la aspiradora.
5. En la sala...
   a. cuidas a las mascotas. b. lavas los platos. c. lees una revista.

DESAFÍO 4

4 **Fin de semana.** Look at the pictures and say what Roberto is doing this weekend.

Los nombres: género y número (pág. 98)

Formación del femenino

Masculine form	Feminine form
Ends in *-o*.	Changes *-o* to *-a*. el niño → la niña
Ends in a consonant.	Adds *-a*. el profesor → la profesora

Formación del plural

Singular form	Plural form
Ends in a vowel.	Adds *-s*. el edificio → los edificios
Ends in a consonant.	Adds *-es*. el ascensor → los ascensores

Expresar lugar (pág. 110)

estar en — *to be at/in/on/inside*
aquí — *here*
ahí — *there*
allí — *over there*

al lado de — *next to*
a la derecha de — *to the right of*
a la izquierda de — *to the left of*

cerca de — *near, close to*
lejos de — *far from*

debajo de — *under*
encima de — *on, on top of*

delante de — *in front of*
detrás de — *behind*

en — *at, in, on, inside*

Los artículos (pág. 100)

	singular		plural	
	mascul.	femen.	mascul.	femen.
definidos	el	la	los	las
indefinidos	un	una	unos	unas

Adverbios de frecuencia (pág. 128)

nunca — *never*
casi nunca — *almost never*
rara vez — *seldom, rarely*
a veces — *sometimes*
muchas veces — *many times, often*
casi siempre — *most of the time*
siempre — *always*
todos los días — *every day*

Expresar existencia. El verbo *haber* (pág. 108)

hay + noun — *there is/are*
no hay + noun — *there is not/are not*

Verbos regulares. Presente de indicativo (págs. 118 y 120)

Lavar		Prender		Abrir	
lavo	lavamos	prendo	prendemos	abro	abrimos
lavas	laváis	prendes	prendéis	abres	abrís
lava	lavan	prende	prenden	abre	abren

Expresar obligación (pág. 128)

tener que + infinitivo
An obligation somebody has:
Él tiene que cortar el césped.

hay que + infinitivo
General obligations, rules, or norms:
Hay que lavar los platos.

DESAFÍO 1

5 **La casa.** Choose the article that best accompanies each noun.

1. Ellos cuidan ______ jardines. a. el b. los c. unas
2. Hay ______ coquí en el jardín. a. la b. una c. un
3. ______ paredes son altas. a. Las b. Unos c. Los
4. ______ profesores son serios. a. Unas b. Los c. Las

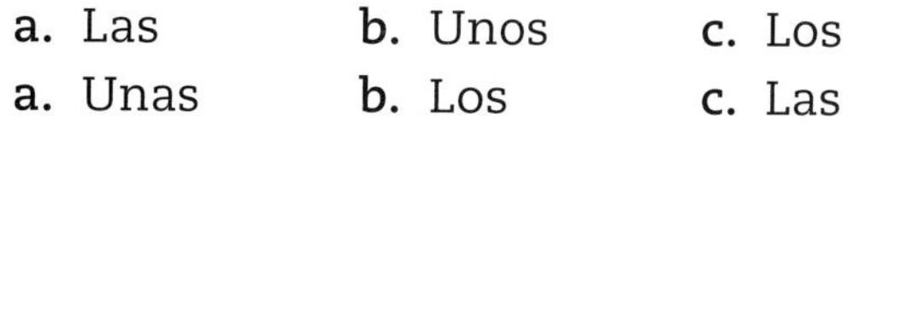

DESAFÍO 2

6 **Los muebles.** Write four sentences describing the position of the things in this picture.

1. delante de
2. detrás de
3. al lado de
4. cerca de

Modelo *Las sillas están delante de la ventana.*

DESAFÍO 3

7 **Tareas domésticas.** Say what each person or group usually does on the weekend.

Modelo Juan - cortar el césped → *Juan corta el césped.*

1. Ellos - sacar la basura
2. Ustedes - pasear al perro
3. Nosotros - sacudir los muebles
4. Yo - barrer el suelo

DESAFÍO 4

8 **¿Qué tienes que hacer?** Write sentences about your obligations.

EN CLASE...	Estudiar. Hablar español. Usar el diccionario.

Modelo *En clase hay que estudiar.*

EN CASA...	Usar la computadora. Hacer las tareas. Ordenar mi cuarto.

Modelo *En casa tengo que usar la computadora.*

CULTURA

9 **¡Viva Puerto Rico!** Answer the questions.

1. ¿Qué es El Morro?
2. ¿Cómo son los techos de las casas en Puerto Rico? ¿Por qué?
3. ¿Por qué es importante la Bahía de Mosquito?

Una visita guiada por

La Casa Blanca

The directors of the Casa Blanca museum want to create a living exhibit of the Ponce de León family home. A tour guide will lead visitors through the Casa Blanca describing each part of the house and gardens. In each part, visitors will meet costumed actors representing the Ponce de León family. The actors will answer visitors' questions and explain what the family normally does there.

Your project involves writing the guide's commentary and a bank of questions and answers to prepare the actors for their role.

El explorador Juan Ponce de León.

PASO 1 Investiga sobre la Casa Blanca

- Get information about this famous house. For example:
  - Where is the museum located?
  - What areas and rooms does it have?
- Search for photos of the house and its surroundings.
- Research clothing typical of the period so you can provide some appropriate articles of clothing for the actors.

En el jardín hay muchas fuentes.

Interior de la Casa Blanca.

Un dormitorio.

PASO 2 Prepara el material para el guía y los actores

- Prepare a script for the guide. Remember to include information for each place visited on your tour. For example, identify each place and describe it.

  Modelo *Ahora estamos en la cocina. La estufa es grande.*

La cocina de la Casa Blanca.

- Prepare the questions that tourists will probably want to ask the actors. Write the answers, too!

  Modelo A. *¿Preparan ustedes el desayuno aquí?*
  B. *Sí. Preparamos el desayuno, el almuerzo y la cena. También barremos el suelo y lavamos los platos.*

PASO 3 Comprueba y evalúa

- Check your work:
  - Is the cultural information clear and correct?
  - Are the texts correct and complete?
- Proofread your work carefully.

PASO 4 Ensaya tu guión y actúa

- Practice your scripts: take turns being the guide, the actors, and the tourists.
- If possible, prepare costumes and simple props.

Unidad 2

Autoevaluación

¿Qué has aprendido en esta unidad?

Do these activities to evaluate how well you can manage in Spanish.

a. Can you identify and describe places?
▶ Describe your house, a room, or some furniture.

b. Can you say where people or things are?
▶ Talk about your kitchen: say where the appliances are.
▶ Ask a friend to describe his or her room and to draw a floor plan of it.

c. Can you talk about household chores?
▶ Say what chores you and your siblings have to do, and how often you do them.

d. Can you talk about your free-time activities?
▶ Ask two classmates what they do at home on the weekend.

Evaluate your skills. For each activity, say Very well, Well, or I need more practice.

Unidad 3

Guatemala

Desafíos en Centroamérica

DESAFÍO 1

▶ **To talk about shopping**

Vocabulario

El centro comercial

Gramática

Verbos con raíz irregular *(e > ie)*

El verbo *ir*

Antigua

La moda en Guatemala

DESAFÍO 2

▶ **To express likes**

Vocabulario

La ropa y el calzado

Gramática

El verbo *gustar*

To describe and compare clothes and footwear

Vocabulario

Describir la ropa y el calzado

Gramática

Los demostrativos

La comparación. Adjetivos de valor comparativo

El mercado de Chichicastenango

DESAFÍO 4

To speak when shopping

Vocabulario

Las compras

Gramática

Verbos con raíz irregular *(o > ue)*

Trajes tradicionales guatemaltecos

En Antigua

The four pairs gather in Antigua, a beautiful colonial city in Guatemala. There they will receive their tasks from Rolando Boj, a young Guatemalan clothing designer. But before, they are going to buy some traditional Guatemalan-style clothes.

Este sombrero es bonito, abuelo. ¿Cuánto cuesta?

Es barato. Cuesta 30 quetzales.

A mí también me gusta.

¿Les gusta este vestido? Es de algodón y está en oferta.

Prefiero la blusa blanca.

1 ¿Comprendes?

Une. Match each question with the corresponding answer.

(A)

1. How much is the hat?
2. What does Mack say about the hat?
3. What does Rita prefer instead of the cotton dress?
4. Why does Andy wear sandals?
5. Where is Tess going shopping?

(B)

a. Porque son más auténticas.
b. Una blusa blanca.
c. Cuesta 30 quetzales.
d. Al centro comercial.
e. A mí también me gusta.

EXPRESIONES ÚTILES

To ask for prices:
  ¿Cuánto cuesta(n)?

To give prices:
  Cuesta(n) diez quetzales.

To ask for and give reasons:
  ¿Por qué no llevas zapatos?
  Porque las sandalias son más auténticas.

To say something is (not) in style:
  (No) Está de moda.

To say something is (not) on sale:
  (No) Está en oferta.

To ask at what time a store opens/closes:
  ¿A qué hora abre/cierra la tienda?

2 En la tienda de turistas

▶ **Escucha.** The pairs are at the market in Antigua. Listen and write true sentences.

	A	B
1. La tienda...	abre a las nueve.	cierra a las nueve.
2. Este vestido...	no está de moda.	está de moda.
3. La blusa...	no está en oferta.	está en oferta.
4. Me gusta...	la blusa.	el sombrero.

3 ¿Cuánto cuesta?

▶ **Habla.** Talk about the prices of the following items. Take turns asking the price and answering with a partner.

¿Cuánto cuesta el sombrero?

El sombrero cuesta cinco dólares.

① 
el muñeco - 5 dólares

② el vestido - 18 dólares

③ 
la blusa - 14 dólares

④ 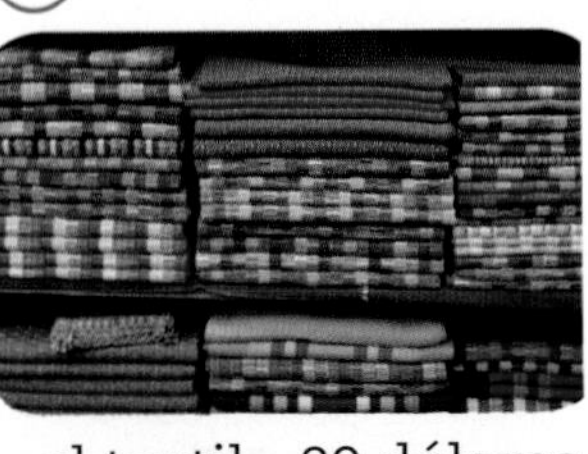
el textil - 29 dólares

¿Quién ganará?

4 Los desafíos

▶ **Habla.** What will be the challenge for each pair? Think about this question and discuss it with your classmates.

5 Las votaciones

▶ **Decide.** You decide. You will vote to choose the most interesting challenge. Who do you think will win?

La máscara de jade

Diana and Rita are in Antigua, where they must find a Mayan jade mask. Rolando Boj, their Guatemalan host, has given them a picture. They must visit stores, show the picture of the mask, and ask questions! Will they find it?

Continuará...

6 Detective de palabras

▶ **Completa.** Based on the *fotonovela* above, choose the word from column A or B that completes each sentence correctly.

	A	B
1. ¡_____ las nueve de la mañana!	Es	Son
2. ¿A qué hora _____ esa tienda?	abre	abren
3. Nosotros no _____ máscaras de jade.	tengo	tenemos
4. ¿Por qué no _____ en el mercado?	pregunta	preguntan

7 Predicción

▶ **Escoge.** Where will Diana and Rita go next? Choose one of these options.

1. A la tienda de regalos.
2. Al mercado.
3. Al Museo del Jade.

8 La vendedora informa

▶ **Escucha y ordena.** Diana and Rita are asking a market salesperson questions. Listen and number the questions in the order you hear them.

a. ¿Cuánto cuesta esa máscara?
b. Perdón, ¿usted vende objetos de jade?
c. ¿A qué hora abre el Museo del Jade?
d. ¿Y tiene máscaras de jade?

▶ **Relaciona.** Match each question above with an answer below.

1. Sí, vendo objetos de jade.
2. Tengo tres máscaras, pero no son de jade.
3. El Museo del Jade abre a las once.
4. Esta máscara está en oferta.

Antigua

Antigua es una ciudad de la región central de Guatemala. Está rodeada por tres volcanes: Agua, Fuego y Acatenango. Es famosa por sus edificios del siglo XVII. Antigua es también una ciudad moderna y multicultural.

9 Comparación. What is odd about this statement?

Antigua es una ciudad moderna.

Look up the meaning of the word *antigua* to help you answer.

Use the website to learn more about Antigua.

Vocabulario

El centro comercial

10 ¿A qué hora...?

▶ **Habla.** Talk with your partner about the hours for three of the stores above. Your partner will ask you at what time they open and close.

Modelo Centro comercial. 8:00 a. m.–8:00 p. m.

A. *¿A qué hora abre el centro comercial?*
B. *El centro comercial abre a las ocho de la mañana.*
A. *¿A qué hora cierra?*
B. *Cierra a las ocho de la tarde.*

RECUERDA

¿A qué hora...?
6:00 = A las seis
6:15 = A las seis y cuarto
6:30 = A las seis y media
6:45 = A las siete menos cuarto

1. 8:30 a. m.-6:30 p. m.
2. 10:00 a. m.-9:00 p. m.
3. 9:15 a. m.-4:45 p. m.

11 Las recomendaciones de Rolando Boj

▶ **Escucha y escribe.** Rita can't understand Rolando Boj's voice mail. Help her! Listen to the message and write down this information about the three stores he mentions.

¿Qué tienda es?	¿A qué hora abre?	¿Qué venden allí?

12 Habla Diana

▶ **Completa.** Diana is talking about her shopping experiences. Complete each sentence with the most appropriate word.

1. Compro zapatos en la ______.
2. En la ______ venden blusas de Guatemala.
3. En esta tienda de regalos hay una ______ simpática.
4. Son las nueve. La tienda abre a las diez. ¡Ahora está ______!

13 En Antigua

▶ **Habla.** There are many stores in downtown Antigua. Tell your partner the ones you see.

Modelo *Hay **un mercado** en la **Alameda de Santa Lucía**.*

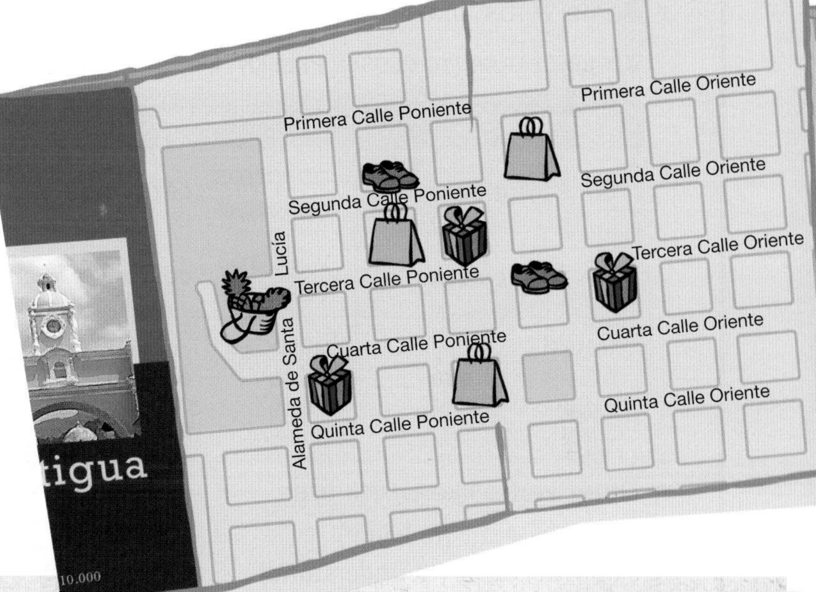

El jade

El jade es una piedra (*stone*) preciosa. Esta piedra era (*was*) sagrada para los mayas. En Antigua hay un importante Museo del Jade y muchas tiendas de regalos venden objetos de jade.

14 Piensa y explica. Why do you think jade was important for the Mayas?

TU DESAFÍO Use the website to watch a documentary on jade.

Gramática

Verbos con raíz irregular (*e > ie*)

Verbos irregulares

- Irregular verbs do not follow typical conjugation patterns. Ser and tener, for example, are irregular verbs.

  ser ⟶ yo soy, tú eres... tener ⟶ yo tengo, tú tienes...

- Irregular verbs may change the stem or the endings.
  Remember: To identify the stem of a verb, delete the -ar, -er, -ir endings from the infinitive form.

  lav ~~-ar~~ prend ~~-er~~ abr ~~-ir~~

Verbos con raíz irregular (*e > ie*)

- Some verbs, like cerrar *(to close)*, require a stem change from e to ie.

VERBO CERRAR (TO CLOSE). PRESENTE

Singular		Plural	
yo	**cierro**	nosotros nosotras	**cerramos**
tú	**cierras**	vosotros vosotras	**cerráis**
usted él ella	**cierra**	ustedes ellos ellas	**cierran**

Note: The e > ie stem change affects all the present tense forms except nosotros, nosotras and vosotros, vosotras. This is why these verbs are called "boot or shoe verbs."

- Other verbs like cerrar are:

  empezar *(to begin)* ⟶ yo emp**ie**zo
  entender *(to understand)* ⟶ yo ent**ie**ndo
  pensar *(to think)* ⟶ yo p**ie**nso
  preferir *(to prefer)* ⟶ yo pref**ie**ro
  querer *(to want)* ⟶ yo qu**ie**ro

15 **Comparación.** What irregular English verbs do you know? Give three examples and explain why they are irregular.

16 **En Guatemala**

▶ **Completa.** Complete the sentences with the appropriate form of the verbs.

1. "Tía Rita, nosotras ______ (empezar) el desafío ahora."
2. Diana y Rita ______ (pensar) en la máscara de jade.
3. Rita no ______ (entender) el mensaje de Rolando Boj.
4. La vendedora ______ (cerrar) la tienda a las dos de la tarde.

17 ¿Qué piensan hacer?

Escucha y relaciona. Diana is telling Rita what their friends are planning to do. Listen and match each plan with a destination.

Modelo 1. *Tess* ⟶ *A*

18 Hacemos planes

Lee y escribe. These are Diana's notes about what the characters want to do in Guatemala. Read and transform them into an e-mail. Use *querer* + infinitive.

- Tess. Comprar ropa típica.
- Andy y yo. Visitar el Museo del Jade.
- Tim y Mack. Ir de compras.
- Yo. Investigar la cultura maya.
- Todos. Hablar mucho español.

Modelo

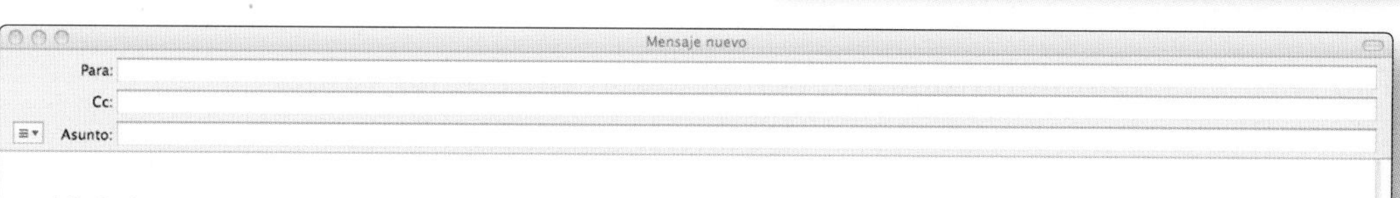

¡Hola!

Estos son nuestros planes. Tess quiere comprar ropa típica…

CONEXIONES: CIENCIAS SOCIALES

¿Dónde empieza Centroamérica?

Guatemala está en América Central. Este país y Belice marcan la transición entre Norteamérica y Centroamérica.

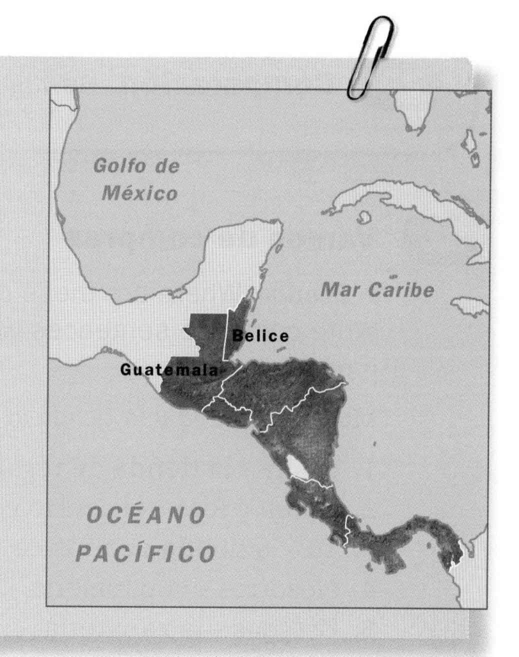

19 Investiga y escribe. Besides Guatemala and Belize, what countries make up Central America? Write their names.

Use the website to investigate about countries of Central America and their capitals.

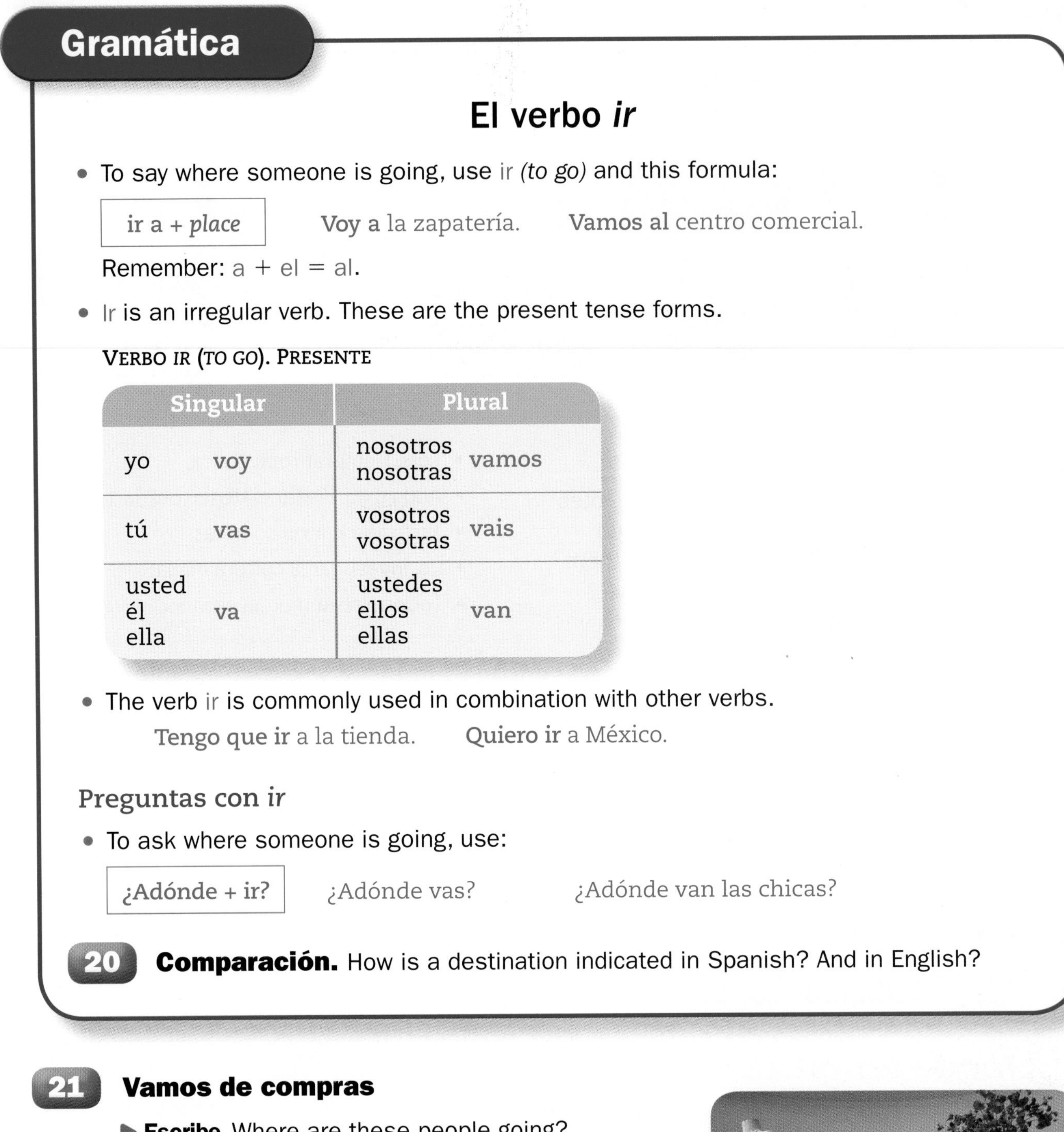

Gramática

El verbo *ir*

- To say where someone is going, use ir *(to go)* and this formula:

ir a + *place*

  Voy a la zapatería. **Vamos al** centro comercial.

  Remember: a + el = al.

- Ir is an irregular verb. These are the present tense forms.

  VERBO IR (TO GO). PRESENTE

Singular		Plural	
yo	voy	nosotros nosotras	vamos
tú	vas	vosotros vosotras	vais
usted él ella	va	ustedes ellos ellas	van

- The verb ir is commonly used in combination with other verbs.

  Tengo que ir a la tienda. **Quiero ir** a México.

Preguntas con *ir*

- To ask where someone is going, use:

¿Adónde + ir?

  ¿Adónde vas? ¿Adónde van las chicas?

20 **Comparación.** How is a destination indicated in Spanish? And in English?

21 Vamos de compras

▶ **Escribe.** Where are these people going? Write complete sentences with *ir*. Add other words if necessary.

Modelo *Rita va a la tienda de ropa.*

1. Diana - la tienda de regalos
2. Diana y Rita - el centro comercial
3. Tú - la tienda de música
4. Nosotros - la papelería
5. Ustedes - la zapatería

22 ¿Adónde van?

Escucha y escribe. Listen to the pairs' activities for today and write where each one is planning to go.

1. Diana y Rita
2. Tess y Patricia
3. Mack y Tim
4. Andy y Janet

23 ¿Obligaciones o deseos?

Escribe. Sometimes you go places because you want to, at other times because you have to. In a group, make a list of five destinations of each type.

Modelo

Quiero ir...	Tengo que ir...
1. A la tienda de videos.	1. A la zapatería.

Nuestra rutina

Escribe. Where do you and the members of your family household go during a typical week? Write a paragraph describing where each person goes.

Modelo

Los lunes yo voy a la escuela y mis padres van a la oficina. Los martes...

RECUERDA
To say that you usually do something on a particular day, use *los lunes, los martes,* etc.

CONEXIONES: MATEMÁTICAS

Una entrevista

25 Pregunta. Ask your classmates these questions:

1. ¿Vas al centro comercial los sábados por la mañana?
2. ¿Tienes que ir a un campamento *(camp)* este verano?
3. ¿Quieres ir a Guatemala en el futuro?

Calcula los porcentajes. Use what you know about percentages to report your findings in a pie chart.

Comunicación

26 Un día de compras

▶ **Escucha y contesta.** Diana and Rita are planning a day of shopping in Guatemala. Listen, and then say whether the following statements are true *(cierto)* or false *(falso)*.

1. Rita no quiere ir de compras.
2. Diana tiene que comprar un suéter.
3. Rita está cansada: no quiere mirar vitrinas.
4. La tienda de ropa está cerrada hoy.

27 ¿Con qué frecuencia?

▶ **Habla.** How often do you go to these five places? With a partner, take turns asking the questions. Ask for and give the reasons behind each answer, using *¿por qué?* (why) and *porque* (because).

Modelo A. *¿Vas a la zapatería todos los días?*
B. *No. Voy a veces.*
A. *¿Por qué?*
B. *Porque no compro zapatos todos los días.*

1. la tienda de ropa
2. la tienda de música
3. la tienda de regalos
4. el centro comercial
5. la papelería

28 En tu agenda

▶ **Escribe.** Where do you want to go this weekend? Where do you have to go? Write a paragraph that includes the following information:

- When you plan to go.
- Where and why you want to go or have to go.
- Who is going with you.

Modelo *Este fin de semana quiero ir de compras con mi hermano. Tengo que ir al centro comercial…*

29 Una escena en el centro comercial

▶ **Escribe y representa.** Imagine you and a friend are meeting at the mall to go shopping. Create the scene with a partner. Then act it out for the class.

Modelo A. *Tengo que ir al centro comercial.*
B. *¿Qué quieres comprar?*
A. *Quiero comprar unos tenis.*

30 ¿Qué tienda es?

▶ **Escribe y habla.** Think of a store in a local mall. Write a description and read it to a partner. Can he or she guess what type of store it is?

Modelo

Final del desafío

31 ¿Qué pasa en la historia?

▶ **Lee y ordena.** The photographs are out of order. Read the dialogue and sequence the exchanges appropriately to conclude this *Desafío*. Did Diana and Rita find the mask?

Vamos de compras

Tess and Patricia are in the *Centro comercial Miraflores*, a mall in Guatemala City. Their task is to buy an item for each of the characters. Each item, however, must match something he or she already has and cost less than 30 dollars!

Continuará...

32 Detective de palabras

▶ **Completa y une.** Complete the statements in column A. Then match each one with a statement in column B to indicate what you think it means in English.

A	B
1. ¡_____ esta bufanda para Mack!	a. I don't like it.
2. ¿_____ este vestido para Diana?	b. Do you like this dress for Diana?
3. A mí no _____.	c. I like this scarf for Mack.
4. Mack _____ un suéter azul.	d. Diana has shoes that go with this blouse.
5. Diana _____ unos zapatos que van con esta blusa.	e. Mack has a blue sweater.

37 En el mercado

▶ **Habla.** Choose a person from the picture. Describe what this person is like and what he or she is wearing. Your partner guesses who it is.

Modelo
Es un hombre. Es bajo.
Lleva un sombrero…

38 En el salón de clase

▶ **Escribe.** Choose one classmate and describe the clothes he or she is wearing.

Modelo *Cathy lleva una camiseta, unos zapatos y unos pantalones.*

COMUNIDADES

MODA Y CULTURA

Los trajes tradicionales y los textiles representan la cultura de un país. En Guatemala y en otros países las mujeres usan una especie de blusa larga: el *huipil*. Es una prenda *(garment)* común a muchas comunidades indígenas de Latinoamérica.

39 Piensa y explica. Answer the questions.

1. Is there a typical attire that exemplifies your country or your state?
2. How do these clothes reflect the cultural heritage of your community?

TU DESAFÍO Use the website to watch how *huipiles* are made.

Gramática

El verbo *gustar*

- To express likes or dislikes, Spanish uses the verb gustar *(to like)*.

  Me gusta la camiseta. **No me gusta** comprar ropa.

- The verb gustar is a regular verb, but usually only two of its forms are used: the singular gusta and the plural gustan.
- The verb gustar does not require a subject pronoun. Instead these object pronouns are used: me, te, le, nos, os, les.

VERBO *GUSTAR* (*TO LIKE*). PRESENTE

	Singular	Plural	
(A mí)	**me gusta**	**me gustan**	*I like*
(A ti)	**te gusta**	**te gustan**	*you like*
(A usted) (A él/a ella)	**le gusta**	**le gustan**	*you like* *he/she likes*
(A nosotros/as)	**nos gusta**	**nos gustan**	*we like*
(A vosotros/as)	**os gusta**	**os gustan**	*you like*
(A ustedes) (A ellos/a ellas)	**les gusta**	**les gustan**	*you like* *they like*

Note: The meaning of the pronouns can be clarified with the prepositional phrases a mí, a ti, a usted, a él, a ella, a nosotros, a nosotras, a vosotros, a vosotras, a ustedes, a ellos, a ellas.

Singular o plural

- To speak about one thing (noun) or about an action (infinitive), use gusta (singular).

  ¿A Juan **le gusta** la camisa? No **nos gusta** ir de compras.

- To speak about two or more things, use gustan (plural).

  ¿A ti **te gustan** los guantes? **Nos gustan** los vestidos.

40 **Comparación.** Which English expression is more like gustar: *to like* or *to be pleasing to*? Explain your answer.

41 **¿Te gusta llevar bufanda?**

▶ **Habla.** Talk to a partner about your likes and dislikes. Take turns asking and answering questions.

Modelo A. *¿A ti te gusta comprar zapatos?*
B. *Sí, me gusta comprar zapatos. / No, no me gusta comprar zapatos.*

1. mirar vitrinas
2. comprar regalos
3. ir de compras
4. usar guantes
5. llevar tenis
6. llevar pantalones cortos

42 ¿Qué ropa les gusta?

Escucha y completa. The characters are talking about the clothes they like to wear. Listen and complete the sentences. Write the correct form of the verb and the name of the clothing items they refer to.

Modelo A Diana le gustan (gusta / gustan) los zapatos.

1. A Tim y a su abuelo les ______ (gusta / gustan) ______
2. A Rita y a Diana les ______ (gusta / gustan) ______
3. A Andy le ______ (gusta / gustan) ______
4. A Janet le ______ (gusta / gustan) ______

43 Los gustos de la clase

Habla. What clothes do your classmates like? Ask four people and tally their responses.

Modelo
A. *¿Te gustan las bufandas?*
B. *Sí, me gustan las bufandas. / No, no me gustan las bufandas.*

1 

2 

3 

4 

Escribe. Write the results of your interview.

Modelo

A Juan y a Amalia les gustan las bufandas.
A Ana y a Eduardo no les gustan.

CONEXIONES: INGLÉS

Palabras prestadas

Muchas palabras pasan de una lengua a otra. *Suéter* es una palabra española procedente del inglés, igual que las palabras *jersey* y *pijama*.

44 Investiga. Find the Spanish names of these articles of clothing.

1. anorak **2.** bikini **3.** moccasin **4.** pullover **5.** uniform

Comunicación

45 De compras en Guatemala

▶ **Escucha y escribe.** Patricia and Tess are talking to Rolando Boj about shopping opportunities in Guatemala. Copy and complete the table to say where *(lugar)*, when *(horario)*, and what *(productos)* they can buy.

Compras en Guatemala			
Lugar			
Horario			
Productos			

▶ **Habla.** Tell a partner what Patricia and Tess are planning to do at the times above.

Modelo *A las diez de la noche compran ropa en la tienda del hotel.*

46 Vendedores por un día

▶ **Escribe.** With a partner, write a radio advertisement for one item of clothing. Then read your advertisement to the class.

Modelo

> Nuestras chaquetas son muy bonitas.
> Los jóvenes modernos llevan chaquetas para ir a clase y a pasear. ¿Quieres una chaqueta? ¡En la tienda QUETZAL hay muchas!

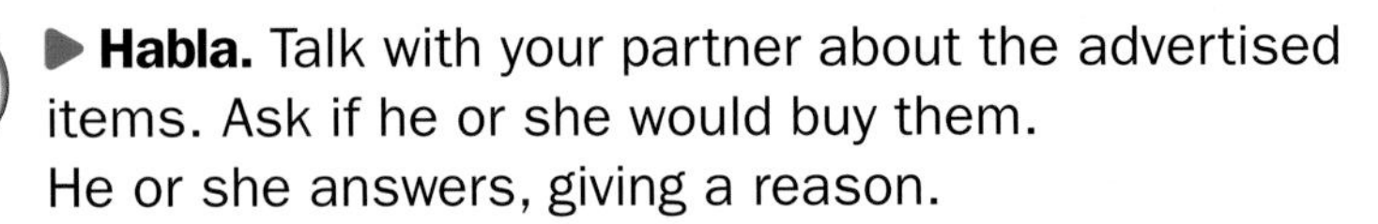

▶ **Habla.** Talk with your partner about the advertised items. Ask if he or she would buy them. He or she answers, giving a reason.

Modelo A. *¿Compras la chaqueta?*
B. *No, no me gustan las chaquetas.*

47 En un mercado de Guatemala

▶ **Escribe.** This is a popular market. Describe what you can buy here.

Modelo *Hay regalos de muchos colores.*

48 Actividades favoritas

▶ **Escribe.** Write five things you like to do with your family.

Modelo *Nos gusta escuchar música.*

▶ **Habla.** What does your family have in common with your classmates' families? Interview classmates to find out. Take notes in a table.

Modelo A. *A nosotros nos gusta escuchar música. ¿Y a tu familia?*
B. *Sí, a nosotros también nos gusta escuchar música.*
C. *No, a nosotros no nos gusta escuchar música.*

A mí y a mi familia	A Mark y a su familia	A Chin y a su familia	A Jennifer y a su familia
1. Escuchar música.	Les gusta.	No les gusta.	Les gusta.

Final del desafío

49 ¿Qué pasa en la historia?

▶ **Habla.** Talk about the end of the story.

1. Describe what the characters are wearing in these photos.
2. Judging from their expressions, do you think they like the item they were given? Why?
3. Did Tess and Patricia complete their task? How do you know? Explain.

Earn points for your own challenge! Listen to the questions for your *Minientrevista Desafío 2* on the website and write your answers.

Tres trajes típicos

Tim and Mack are in Tikal. Their task is to find three traditional costumes worn by indigenous peoples of Guatemala. The Spanish phrase for regional attire is *traje típico*.

Continuará...

50 Detective de palabras

▶ **Completa.** The missing words are important in this *Desafío*. Refer to the *fotonovela* and choose the appropriate word to complete each sentence correctly.

	A	B
1. ______ camisa es de algodón.	Esta	Estas
2. ______ falda es muy típica.	Esa	Aquel
3. Allí, los hombres y las mujeres llevan ______ faldas.	esas	aquellas
4. ______ huipil tiene muchos colores.	Aquel	Este

56 En los armarios

▶ **Escucha y escribe.** Tim and Mack are talking about clothes. Listen and match the phrases in columns A, B, and C to summarize what they say.

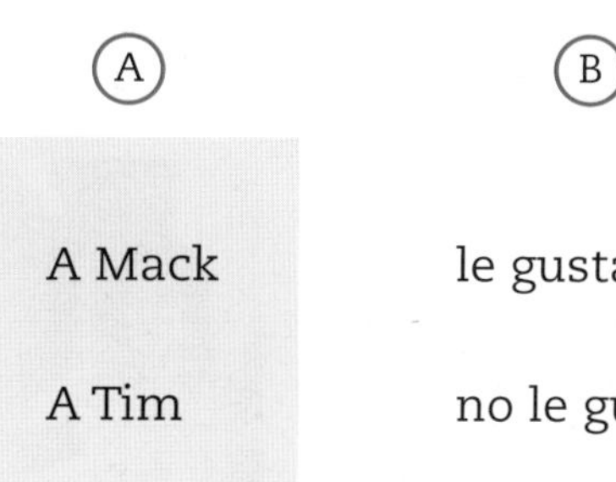

A	B	C
A Mack	le gustan	los pantalones anchos.
A Tim	no le gustan	las camisas de algodón.
		las sandalias cómodas.
		los tenis de algodón.
		las chaquetas de cuero.

57 Su ropa favorita

▶ **Habla.** What clothing does your classmate like? Ask him or her about these items.

1. las camisas blancas
2. los zapatos de cuero
3. los vestidos anchos
4. los jeans cortos

¿Te gustan los pantalones cortos?

No, no me gustan. Prefiero los pantalones largos.

58 ¿Qué llevan tus compañeros de clase?

▶ **Escribe y habla.** Play a guessing game. Choose a classmate and write a description of what he or she is wearing. Do not mention his or her name. Read your description to a partner. Can he or she guess which classmate you are describing?

Modelo A. *Lleva unos pantalones cortos, una camiseta anaranjada y sandalias.*
B. *¡Es Alexa!*

CULTURA

No más preocupaciones

Los muñecos quitapenas *(worry dolls)* son típicos de Guatemala. Estos muñecos resuelven *(solve)* tus problemas. Habla de tus preocupaciones *(worried)* con ellos por las noches, en tu cama. Por la mañana, tus problemas estarán resueltos *(will be solved)*.

59 Compara. Are there similar beliefs in your culture? Explain.

Gramática

Me gusta **esta** camisa y **esa** falda.

Los demostrativos

- To indicate where something or someone is located in relation to the person speaking, use demonstratives.
- Demonstratives indicate the relative distance from the speaker.

Formas de los demostrativos

- Spanish demonstratives show gender and number.

  Esa muchach**a** es Carmen y **aquella** es María.

  Aquellos chic**os** están content**os**.

DEMOSTRATIVOS

	SINGULAR		PLURAL	
Distance from speaker	Masculino	Femenino	Masculino	Femenino
Near	este	esta	estos	estas
At a distance	ese	esa	esos	esas
Far away	aquel	aquella	aquellos	aquellas

- Esto, eso, and aquello are demonstratives, too. Use them to refer to unidentified objects.

  ¿Qué es **esto**?

60 **Comparación.** Point out one difference and one similarity between the demonstratives in English and in Spanish.

61 Me gustan estos tenis

▶ **Escucha y escribe.** Mack is telling Tim what he finds at the market. Listen and indicate the distance of each item from Mack. Be sure to write the appropriate demonstrative.

Modelo 1. *estos*

62 De compras

▶ **Lee.** Read the dialogues and decide which one corresponds to the picture.

①

CLIENTE: ¿Cuánto cuesta esa chaqueta?
VENDEDORA: ¿Esta?
CLIENTE: Sí, esa.
VENDEDORA: Cuesta treinta dólares.
CLIENTE: Gracias.

②

CLIENTE: ¿Cuánto cuesta esta chaqueta?
VENDEDORA: ¿Aquella?
CLIENTE: Sí, aquella.
VENDEDORA: Cuesta treinta dólares.
CLIENTE: Gracias.

▶ **Representa.** With a partner, act out the scene for the class.

63 Decisiones de Tim

▶ **Escribe.** Tim is thinking about presents for his family. Using the photo, write sentences with the appropriate form of *este*, *ese*, or *aquel* to express his decisions.

Modelo falda para mi hermana
→ *Compro esa falda para mi hermana.*

1. pantalones para mi padre
2. blusa para la abuela
3. chaqueta de lana para mi madre
4. camiseta para mi hermano

Alfredo Gálvez. *Tejedoras de Atitlán.*

CONEXIONES: ARTE

La perspectiva

Los artistas usan la perspectiva para representar en un cuadro la posición de los objetos. Los objetos más grandes parecen *(appear)* estar cerca y los objetos pequeños parecen estar lejos.

64 Dibuja. Draw three objects in perspective to illustrate the concept of demonstratives.

Gramática

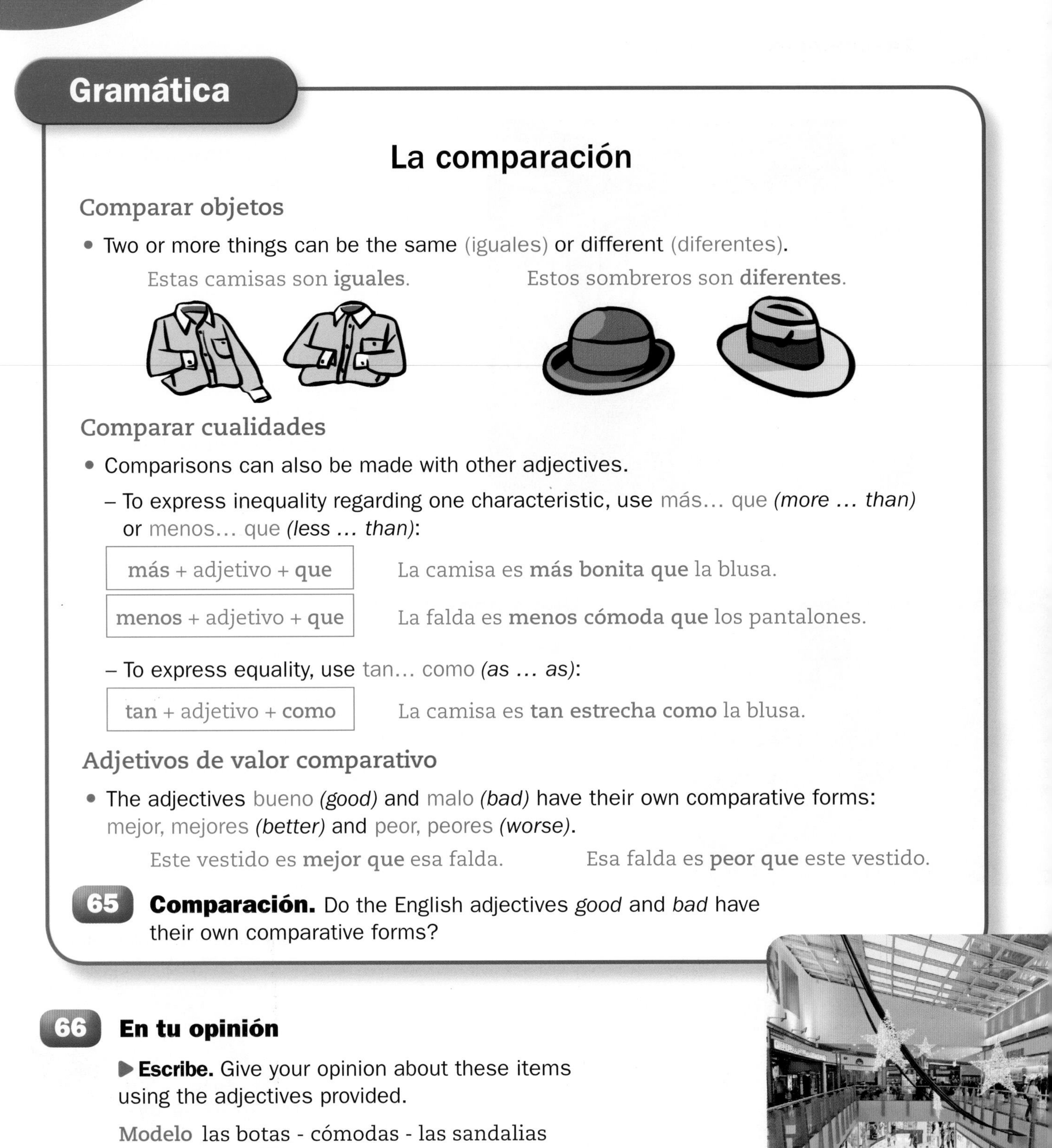

La comparación

Comparar objetos

- Two or more things can be the same (iguales) or different (diferentes).

Estas camisas son **iguales**. Estos sombreros son **diferentes**.

Comparar cualidades

- Comparisons can also be made with other adjectives.
  - To express inequality regarding one characteristic, use más… que *(more … than)* or menos… que *(less … than)*:

más + adjetivo + **que**	La camisa es **más bonita que** la blusa.
menos + adjetivo + **que**	La falda es **menos cómoda que** los pantalones.

  - To express equality, use tan… como *(as … as)*:

tan + adjetivo + **como**	La camisa es **tan estrecha como** la blusa.

Adjetivos de valor comparativo

- The adjectives bueno *(good)* and malo *(bad)* have their own comparative forms: mejor, mejores *(better)* and peor, peores *(worse)*.

Este vestido es **mejor que** esa falda. Esa falda es **peor que** este vestido.

65 Comparación. Do the English adjectives *good* and *bad* have their own comparative forms?

66 En tu opinión

▶ **Escribe.** Give your opinion about these items using the adjectives provided.

Modelo las botas - cómodas - las sandalias
⟶ *Las botas son tan cómodas como las sandalias.*

1. el centro comercial - bonito - el mercado
2. los zapatos del número 8 - grandes - los zapatos del número 5
3. la tienda de música - pequeña - la tienda de ropa
4. el sombrero - barato - el gorro
5. las sandalias - anchas - las botas

67 Las preferencias de Tim

▶ **Escucha y escribe.** Listen to Tim talk about clothing. Indicate his preferences in a table like the one below, and take notes about his reasons.

Preferencias				Razones
1. camisa azul		camisa negra	✔	más elegante
2. pantalones cortos		pantalones largos		
3. chaqueta de lana		chaqueta de cuero		
4. pantalones anchos		pantalones estrechos		

▶ **Escribe.** Use your notes to explain Tim's preferences.

Modelo *Tim prefiere la camisa negra porque es más elegante.*

68 ¿Estás de acuerdo?

▶ **Habla.** Talk to your partner comparing the items below. Your partner agrees or disagrees with your opinion, and elaborates with a contrasting statement.

Modelo ropa de invierno / ropa de verano

1. pantalones / faldas
2. ropa tradicional / ropa moderna
3. gorros / sombreros
4. tenis / zapatos

La ropa de verano es más cómoda que la ropa de invierno.

Sí, pero la ropa de verano es menos formal que la ropa de invierno.

CULTURA

Una persona mayor

En la cultura hispana, para expresar que una persona tiene muchos años usamos normalmente la palabra *mayor*: *Mi abuelo es mayor.*

Mayor también es un comparativo. En ese caso, *mayor* significa "older": *Mi primo Manuel es mayor que yo.*

69 Piensa. Are there other words or phrases in English to express that someone is old?

Comunicación

70 Recuerdos de Guatemala

▶ **Escucha y decide.** Tim and Mack are talking about what they bought in Guatemala. Listen and say if the following statements are true *(cierto)* or false *(falso)*.

1. El traje maya es más ancho que la ropa moderna.
2. El huipil es menos cómodo que la blusa de algodón.
3. A Tim no le gustan los pantalones cortos.
4. En los mercados la ropa es más barata que en las tiendas.

71 La opinión del cliente es importante

▶ **Escribe y representa.** With a classmate, role-play a customer and a salesperson. Write a conversation in which one asks and the other expresses his or her opinion about five articles of clothing.

Modelo A. *¿Te gusta este huipil o aquel?*
B. *Me gusta este huipil rojo.*
A. *¿Por qué?*
B. *Porque me gusta el color rojo.*

72 ¡En oferta!

▶ **Escribe.** Are you a good salesperson? Write a radio ad for each item below. Include demonstratives and comparisons, and add details to make each item appealing.

Modelo *Estas botas están en oferta. ¡Son buenas, bonitas y muy baratas! Son de cuero. Son más cómodas que los zapatos.*

1 

2 

3 

▶ **Habla.** Choose one of your ads and present it to your classmates.

73 La ropa apropiada

▶ **Escribe.** What type of clothing would you wear in each place? Explain your choices in complete sentences.

Modelo *En invierno llevo un gorro de lana...*

Final del desafío

74 ¿Cómo son los trajes?

▶ **Escribe.** Mack and Tim decide to buy the three *trajes*. Use what you know to answer Rolando Boj's question: what are the *trajes* like? Make sure to describe each article of clothing in terms of colors, size, fabric, and other characteristics.

Un mercado especial

Andy and Janet are at the famous Chichicastenango market. There they must find a bag of worry dolls. To do that, they have to locate the right vendor among the hundreds at this amazing market!

Continuará...

75 Detective de palabras

▶ **Completa y une.** Complete the statements using the *fotonovela*. Then match each one with the sentence in column B that is its equivalent in English.

A	B
1. Este textil ______ diez dólares.	a. A big plate costs forty dollars.
2. Un plato grande ______ cuarenta dólares.	b. You can pay with a credit card.
3. ______ pagar con tarjeta de crédito.	c. How much is it?
4. ¿Cuánto ______?	d. This textile costs ten dollars.

76 Me gusta el huipil morado

Escucha y escribe. Janet is talking to the vendor at the market. Listen and then answer the questions.

1. ¿A Janet le gusta la blusa azul?
2. ¿Cómo le queda la blusa roja?
3. ¿Cuánto cuesta el huipil morado?
4. ¿Para quién compra Janet el huipil?

77 Un puesto barato

Habla. With a partner, ask and say how much each of these items costs.

Modelo A. *¿Cuánto cuesta la camisa amarilla?*
B. *Cuesta veintinueve dólares.*

CULTURA

Chichicastenango

El mercado de Chichicastenango está abierto los jueves y los domingos. Allí puedes comprar ropa, comida, utensilios de cocina, animales y otras muchas cosas. Los precios son bajos, pero tienes que pagar con dinero. Las tarjetas de crédito no son muy populares.

78 **Piensa y explica.** Answer the questions.

1. Have you ever been to a place like this? Where?
2. Did you like the experience? How is shopping at a market like Chichicastenango different from shopping at a mall?

TU DESAFÍO Use the website to learn more about Chichicastenango, its market, and its people.

Vocabulario

Las compras

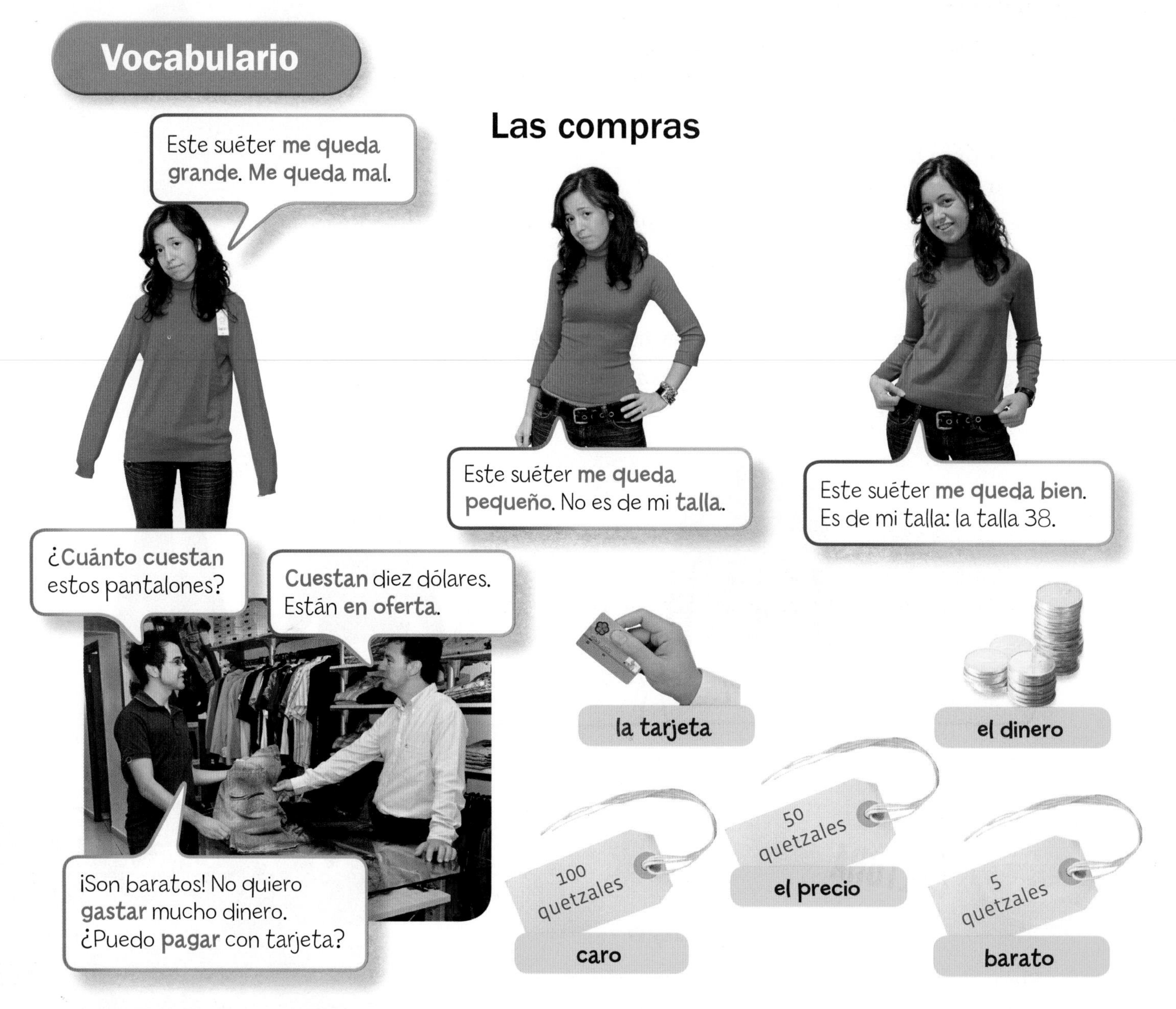

Los números

31	32	40	50	60	70	80	90	100
treinta y uno	treinta y dos	cuarenta	cincuenta	sesenta	setenta	ochenta	noventa	cien

79 Las compras de Janet

▶ **Habla.** With a partner, ask and say how much Janet is spending and where.

Modelo A. *¿Cuánto gasta en la tienda de ropa?*
B. *Treinta y cuatro quetzales.*

1. la tienda de música
   98 quetzales
2. la tienda de regalos
   100 quetzales
3. la papelería
   47 quetzales
4. la zapatería
   83 quetzales

80 ¿Cómo me queda?

▶ Escucha y escribe. Janet is telling Andy how everything fits her. Listen and write her comments in a table like the one below.

el suéter	pequeño
los pantalones	
la camiseta	
los zapatos	
el vestido	

▶ Habla. Now use your table to check your information with a classmate.

Modelo A. *¿Cómo le queda el suéter azul?*
B. *El suéter azul le queda pequeño.*

81 El buen consumidor

▶ Escribe. How much do these items cost? Write a list ordering them from the least expensive to the most expensive.

1. 
objetos de cerámica

2. 
muñecos quitapenas

3. 
huipil

4. 
máscara de jade

▶ Escucha y escribe. Listen and write the prices you hear. How accurate was your list?

CONEXIONES: MATEMÁTICAS

El dinero de Guatemala

La moneda oficial de Guatemala es el quetzal. El nombre de la moneda tiene origen en el quetzal, un ave *(bird)* sagrada para los mayas. El dólar americano también es aceptado en todo el país.

82 Investiga. Find out the current exchange rate of the quetzal. Then convert the prices in activity 79 to dollars.

Gramática

Verbos con raíz irregular *(o > ue)*

- In some verbs like poder *(to be able to)*, the o in the stem changes to ue in the present tense.

o > ue	poder ⟶ puedo

- These stem-changing verbs are conjugated as follows.

VERBO PODER (TO BE ABLE TO). PRESENTE

Singular		Plural	
yo	**puedo**	nosotros nosotras	**podemos**
tú	**puedes**	vosotros vosotras	**podéis**
usted él ella	**puede**	ustedes ellos ellas	**pueden**

Note: The o > ue stem change affects all forms of the present except nosotros, nosotras and vosotros, vosotras.

- Other stem-changing verbs like poder are:

  contar *(to count)* ⟶ yo cuento
  recordar *(to remember)* ⟶ yo recuerdo
  volar *(to fly)* ⟶ yo vuelo
  volver *(to come back)* ⟶ yo vuelvo

El verbo *costar*

- The verb costar *(to cost)* belongs to the o > ue family. Only the third-person forms are commonly used.

  –¿Cuánto **cuesta** el vestido?
  –El vestido **cuesta** 100 dólares.
  –¿Y los zapatos?
  –Los zapatos **cuestan** 50 dólares.

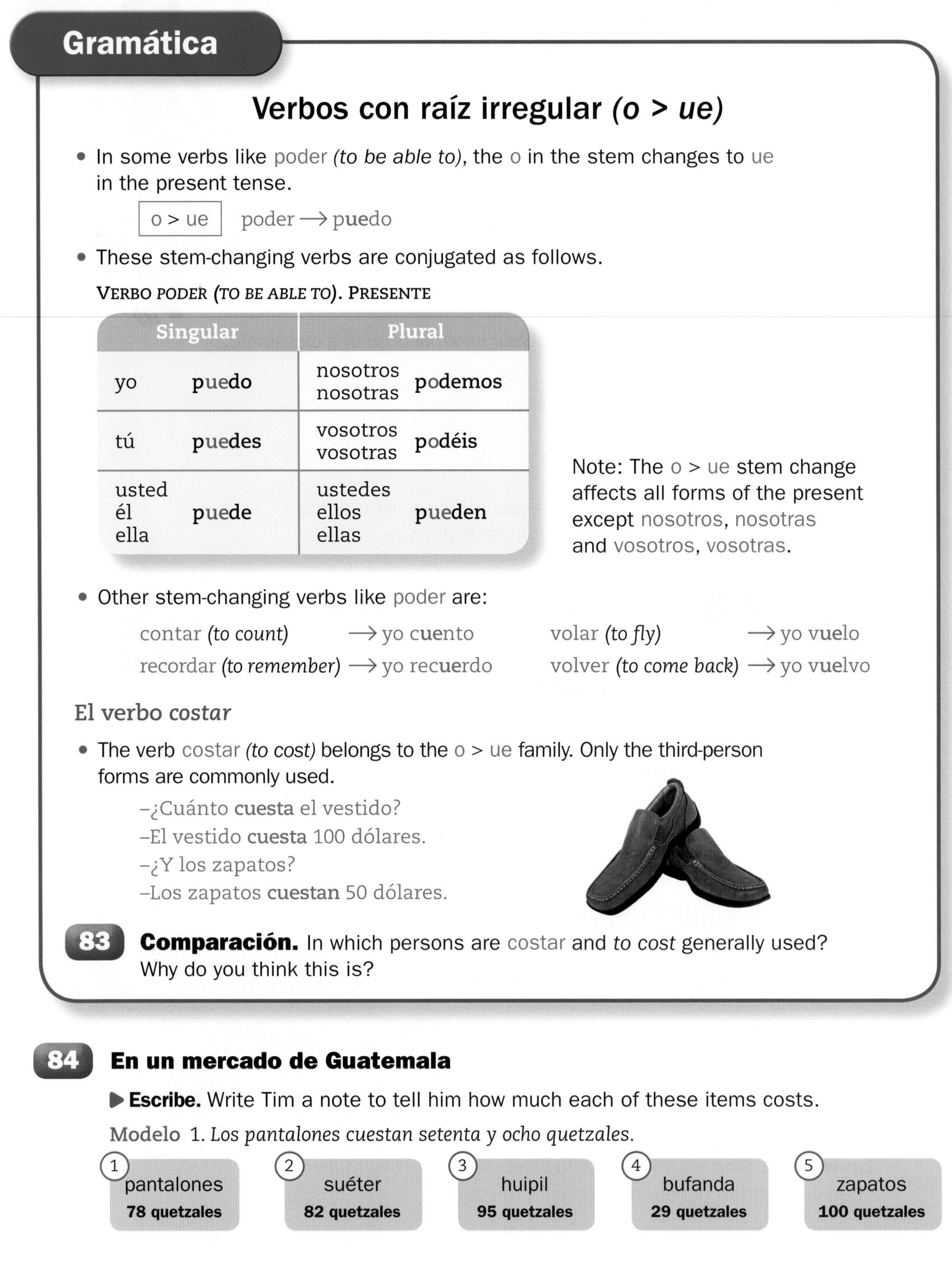

83 **Comparación.** In which persons are costar and *to cost* generally used? Why do you think this is?

84 **En un mercado de Guatemala**

▶ **Escribe.** Write Tim a note to tell him how much each of these items costs.

Modelo 1. *Los pantalones cuestan setenta y ocho quetzales.*

1. pantalones **78 quetzales**
2. suéter **82 quetzales**
3. huipil **95 quetzales**
4. bufanda **29 quetzales**
5. zapatos **100 quetzales**

96 Al llegar

▶ **Escribe.** Write a script for Rolando Boj and the four pairs at the finish line. Be sure to ...

- Indicate destinations.

JANET: Vamos a Tikal.

- Describe clothes and shoes.

TIM: Llevo un traje de algodón y sandalias de cuero.

- Express likes and dislikes.

TESS: Me gusta el huipil de Janet. Me gustan los pantalones de Andy.

- Ask and answer questions about clothing and prices.

ANDY: ¿Cuánto cuesta tu blusa?
DIANA: ¡Cuesta veinte quetzales y me queda grande!

▶ **Representa.** In groups, act out your script.

97 Las votaciones

▶ **Decide.** Which pair had the most interesting challenge? Take a vote to decide!

Guatemala es una república de Centroamérica. Por el norte limita con México. Es un país más pequeño que el estado de Tennessee y tiene más de 13 millones de habitantes.

La capital de Guatemala es la ciudad de Guatemala, el núcleo más grande de Centroamérica.

98 Proporciones

▶ **Escribe.** Use the map to correct these sentences.

1. México es un país menos ancho que Guatemala.
2. Honduras es un país más estrecho que Belice.
3. Guatemala es un país más grande que Nicaragua.
4. Guatemala es un país más pequeño que Belice.

Centroamérica y Guatemala

Guatemala is a country in Central America, the subcontinent that connects North and South America.

1. Centroamérica

Central America lies between the Atlantic and the Pacific oceans. Both oceans are connected by the Panama Canal.

There are six Spanish-speaking countries in Central America: Guatemala, El Salvador, Honduras, Nicaragua, Costa Rica, and Panama.

(1) Esclusa del Canal de Panamá (Panamá).

2. Guatemala

The central part of Guatemala is made up of mountains, volcanoes, and valleys. This is the most populated, economically active region of the country. The capital, Guatemala City, is located here.

The Pacific coast extends to the south. This is the area where cacao, coffee, and sugarcane are grown.

(2) Lago Atitlán, en el centro de Guatemala.

(2) Bosque tropical.

99 Datos de Guatemala

▶ **Completa.** Read the information above, look at the map, and fill in a chart like this for Guatemala.

Guatemala	
Location	
Geography	
Borders	

1. La gran ciudad maya de Tikal

The region of flatlands in the northern part of Guatemala is called Peten. Here is located Tikal, an immense Mayan city. The Tikal National Park covers an area of 576 km^2 (222 square miles). This is equivalent to the area occupied by the city of Chicago, Illinois.

(1) Ruinas de la ciudad de Tikal (Petén).

(2) Un quetzal.

2. El quetzal: el ave de Guatemala

The quetzal is the bird represented on the Guatemalan flag. It symbolizes freedom. Because the quetzal is in danger of extinction, it has been declared a protected species.

The quetzal played an important role in many Mayan myths.

3. Rigoberta Menchú: la lucha por la paz

Rigoberta Menchú is a descendant of the Maya Quiché in the northwestern part of Guatemala. She received the Nobel Peace Prize in 1992 for defending the human rights of indigenous populations and for working for peace. She is the most famous indigenous woman in Guatemala.

(3) Rigoberta Menchú.

(4) Músicos tocando la marimba.

4. La marimba: sonido guatemalteco

The marimba is a popular musical instrument in Guatemala. It looks like a huge xylophone and can have either a single or a double keyboard.

The most complex marimbas can produce the same sounds as a symphony orchestra.

100 Mensajes desde Guatemala

▶ **Investiga y escribe.** Choose one of these topics to research.

1. **El centro histórico.** Describe the buildings (size, color) and the types of shops.
2. **El cantante.** Describe his appearance. Compare him with a singer you know. Say if you like his music.
3. ***La Quema del Diablo.*** Compare this festival with one you know.

1

El centro histórico de la ciudad de Guatemala.

2

El cantante Ricardo Arjona.

3

La tradición de la Quema del Diablo.

▶ **Escribe.** Use two of the most important facts to write an e-mail to a friend.

Desde Chichicastenango

Chichicastenango, 10 de enero de 2010

Hola, Nicole. ¿Cómo estás?

Yo estoy muy contenta. ¡Me gusta mucho Guatemala!

Te escribo desde Chichicastenango, una ciudad pequeña a 145 kilómetros de la capital. "Chichi" es parte de la región maya y muchas mujeres llevan vestidos tradicionales mayas con colores y bordados[1] muy lindos.

Este es el vestido de las mujeres:

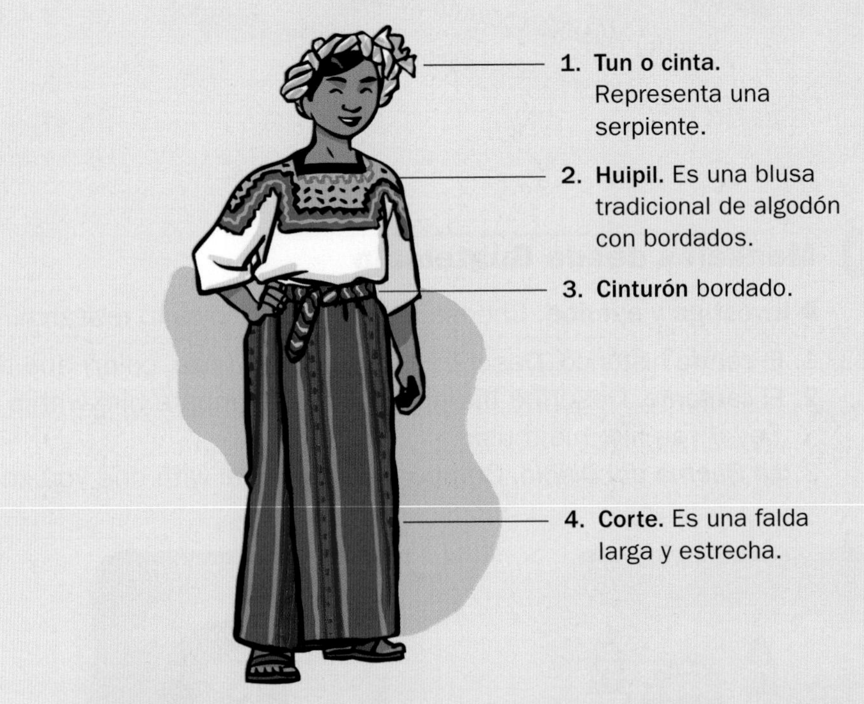

En Chichicastenango hay un mercado muy famoso. ¡Es como un centro comercial enorme! Hay muchos productos de artesanía indígena.

A mí me gustan las máscaras y los textiles.

La cultura maya es realmente fascinante. La próxima vez[2] podemos visitar Guatemala juntas[3] ☺.

Hasta pronto. Besos.

Beth

READING STRATEGY

Visualizing images from text

Creating pictures in your mind as you read will improve your omprehension and can make reading more enjoyable.

Visualizing will also help you connect what you are reading to what you know and will help you summarize the text.

---

1. embroidery 2. Next time 3. together

DESAFÍO 1

5 **¿A qué hora?** Answer each question with a complete sentence.

Modelo ¿A qué hora abre usted la tienda? (9:00 a. m.)
⟶ *Yo abro la tienda a las nueve de la mañana.*

1. ¿Cuándo cierran ustedes la tienda? (8:30 p. m.)
2. ¿A qué hora empiezan las clases? (8:00 a. m.)
3. ¿A qué hora vas de compras? (5:00 p. m.)
4. ¿Cuándo piensan ustedes volver? (10:00 p. m.)

DESAFÍO 2

6 **Gustos.** What do these people like? Write sentences with the appropriate form of the verb *gustar*.

Modelo blusa blanca - ella ⟶ *A ella le gusta la blusa blanca.*

1. pantalones azules - yo
2. sandalias negras - nosotros
3. sombrero verde - ellos
4. vestido rojo - usted

DESAFÍO 3

7 **Comparaciones.** Compare the price or size of the clothing below. Remember to make the gender and number of the adjective agree with the noun it describes.

Modelo *Esta camisa es más cara que aquella camisa.*

1. Estos guantes (10 dólares) - aquellos guantes (5 dólares) - barato
2. Esos pantalones (G) - estos pantalones (P) - ancho
3. Estos zapatos (10) - esos zapatos (10) - grande
4. Esa camiseta (P) - esta camiseta (G) - pequeño

DESAFÍO 4

8 **Haz la pregunta.** Write the question that corresponds to each answer.

1. Esta blusa cuesta quince dólares.
2. Yo vuelvo a casa a las tres y media.
3. No, no recuerdo el precio de la camiseta.
4. Aquel gorro cuesta cinco dólares.

CULTURA

9 **Guatemala maya.** Answer the questions.

1. ¿Qué país está al norte de Guatemala?
2. ¿Quién es Rigoberta Menchú?
3. ¿Qué representa el quetzal para los habitantes de Guatemala?
4. ¿Cómo es el centro de Guatemala?

Una exposición de

muñecos quitapenas

Guatemalan children use *muñecos quitapenas* to deal with worries and stress. In this project, you will make a doll for a class display, and do a role play to buy and sell dolls at a class market.

PASO 1 Crea tus muñecos quitapenas

- Study these worry dolls. Then describe what they look like and how they are dressed.

Estos muñecos son pequeños. Llevan…

- Make your own worry doll. Follow these steps:

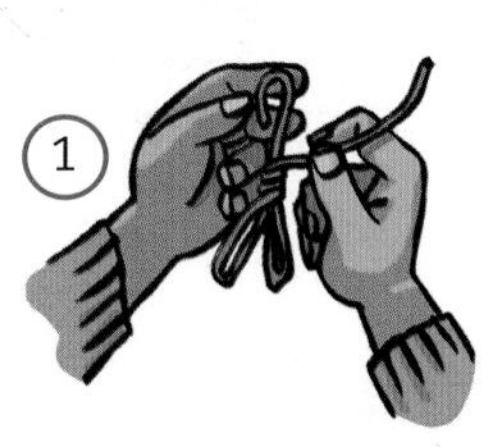

1. Use a length of wire to make the body framework. Bend back the ends of the wire so they don't cut you.

2. Wind strips of paper around the framework to make the body.
3. Dress your doll with pieces of brightly colored fabric or yarn.

4. Color the head and hair and draw the mouth and eyes.

- Make a list in Spanish of the materials you have used. Use a dictionary if necessary.

▶ **To express actions**

Vocabulario
En la mesa

Gramática
Verbos irregulares en la primera persona
Pronombres de objeto indirecto

▶ **To describe and to value**

Vocabulario
¿Cómo está la comida?

Gramática
Verbos con raíz irregular *(e > i)*

El suspiro limeño

El ceviche

En Lima

The pairs meet in Lima, Peru. Chef Ayaca, their host, will help them with their next task: to cook a typical Peruvian dish. But before heading to different regions of the country, they have to find the best recipe in Lima for *sancochado*.

1 ¿Comprendes?

▶ **Une.** Match each question with the corresponding answer.

A	B
1. ¿Qué necesitan las parejas?	a. Les gusta bastante el pescado.
2. ¿Qué es el sancochado?	b. La receta del sancochado.
3. ¿Qué contiene el sancochado?	c. Verduras y carne o pescado.
4. ¿Qué les gusta comer a Tim y a su abuelo?	d. Es una sopa.

▶ **Elige y escribe.** Write which of these ingredients the characters need to make *sancochado*.

a. carne **b.** pescado **c.** café **d.** chocolate **e.** verduras

Modelo *Los personajes necesitan carne.*

EXPRESIONES ÚTILES

To ask about ingredients:
¿Qué lleva?

To say that something is tasty:
¡Qué rico! / ¡Qué rica!
¡Qué delicioso! / ¡Qué deliciosa!

To say that a dish is healthy or not healthy:
Es saludable. / No es saludable.

To wish someone an enjoyable meal:
¡Buen provecho!

2 ¿Les gusta o no?

Habla. Use the expressions above to talk about your likes and dislikes with a partner. Explain your opinions.

Modelo A. *¿Te gustan las hamburguesas?*
B. *Sí, me gustan las hamburguesas. ¡Qué ricas!*
B. *No, no me gustan las hamburguesas. No son saludables.*

1. 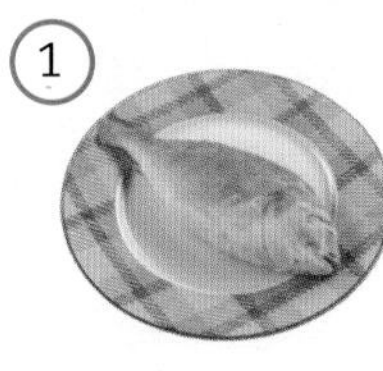
el pescado

2. 
las verduras

3. 
la carne

4. 
el chocolate

3 Expresiones

Escucha y completa. Listen to a conversation between a server and a customer and write the missing words.

CLIENTE: Perdón, ¿qué __1__ el sancochado?
MESERO: Es una sopa. Lleva verduras y carne o pescado.
[...]
MESERO: Aquí tiene el sancochado, señor. Buen __2__.
CLIENTE: Muchas gracias.
MESERO: ¿Qué tal? ¿Le gusta?
CLIENTE: ¡Hummm! ¡Qué __3__!

7 ¿Qué te gusta más?

▶ **Habla.** Share opinions about foods and drinks with a partner. Ask and answer questions using the words in the boxes.

Modelo A. *¿Qué te gusta más? ¿La carne o el pescado?*
B. *A mí me gusta más el pescado.*

8 Tim y Mack en un restaurante

▶ **Clasifica y escribe.** Tim and Mack are trying to decide what to have for lunch. Classify the photos as main courses *(platos principales)*, desserts and fruits *(postres y frutas)*, or drinks *(bebidas)*. Then copy and complete the menu.

CULTURA

Iquitos, Perú

Iquitos es la capital de la zona amazónica de Perú. Es una ciudad grande, pero está aislada. Solo puedes ir en barco o en avión. El río Amazonas pasa por la ciudad. Las comidas más típicas son platos de pescado.

9 Piensa. Why do you think motorcycles are a popular form of transportation in Iquitos?

TU DESAFÍO Use the website to learn more about this city.

Vocabulario

Comidas y bebidas

10 ¿Qué comemos?

▶ **Habla.** In groups, say one thing you like to eat. Your classmate repeats what you said, and adds something that he or she likes. Go around in a circle, adding foods. How many rounds can your group go?

Modelo

11 La lista de Tim

▶ **Escucha y escribe.** Mack left a shopping list on Tim's voice mail. Listen and write the list for Tim.

Para desayunar	Para almorzar	Para cenar
leche		

▶ **Habla.** Discuss your favorite food with a partner.

Modelo A. *¿Qué te gusta para desayunar?*
B. *A mí me gusta el jugo de naranja.*

12 ¿Cuánto cuestan las naranjas?

▶ **Representa.** You are shopping at a local market in Iquitos. With a partner, write a conversation between you and a salesperson, and act it out. Give the prices in Peruvian soles ($1 = 3 soles).

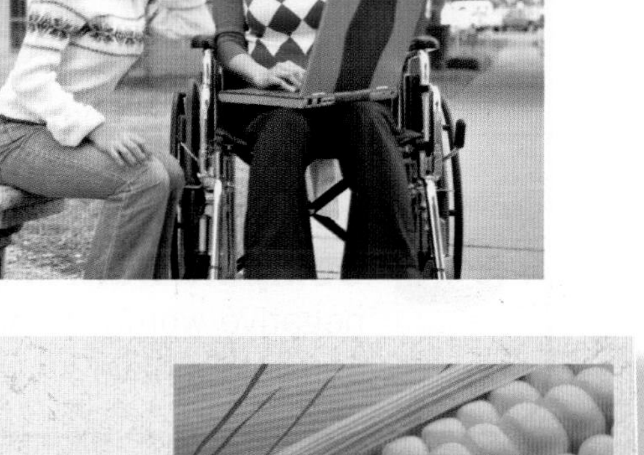

El maíz

Un alimento tradicional en la dieta de Latinoamérica es el maíz *(corn)*. ¡El maíz se cultiva en Perú desde hace 3.000 años! Hay muchos platos típicos con maíz. La cancha, un alimento similar a las palomitas *(popcorn)*, es muy popular.

13 Piensa. Corn is also the main ingredient of *chicha morada*, a very popular drink. What characteristic of this variety of corn gives this drink its name?

Visit the website to read more about *cancha* and *chicha morada*.

Gramática

Adverbios de cantidad

- Some verbs can be modified by a word that expresses quantity. These words are called **adverbs of quantity**. Here are some examples with the verb gustar:

  –¿Te gustan las naranjas?
  –Sí, me gustan **mucho**.

  –¿Te gustan las bananas?
  –No, no me gustan **nada**.

- Here are the most commonly used adverbs of quantity:

Uso de los adverbios de cantidad

- Adverbs of quantity do not change according to gender and number, and they are usually placed after the verb.

  Me gusta **mucho** el maíz.
  Le gustan **poco** las sopas.
  Me gusta **bastante** el maracuyá.

- The word nada accompanies the verb in the negative form.

  No me gusta **nada** la carne.

14 **Comparación.** In the sentence No me gusta nada la carne, there are two negative words–*no* and *nada*. How many negative words would its English equivalent have?

15 **¿Conoces sus gustos?**

▶ **Contesta.** Answer the questions using adverbs of quantity. Express your own opinion in number 5.

Modelo ¿A Mack le gusta el café? (mucho)
⟶ *Sí, a Mack le gusta mucho el café.*

1. ¿A Mack le gusta el jugo de maracuyá? (poco)
2. ¿A tus amigos les gusta el pescado? (bastante)
3. ¿A Tess le gusta el helado de chocolate? (nada)
4. ¿A Janet y Andy les gustan las frutas tropicales? (mucho)
5. ¿A ti te gustan las verduras?

16 Me gusta... No me gusta...

▶ **Escucha y completa.** Mack and Tim are talking about the foods they like and dislike. Fill in a chart like this one with the four foods they talk about.

	☺	☹
Mack		
Tim		

▶ **Une y escribe.** Write four true statements based on the conversation you just heard. Match items from all four columns.

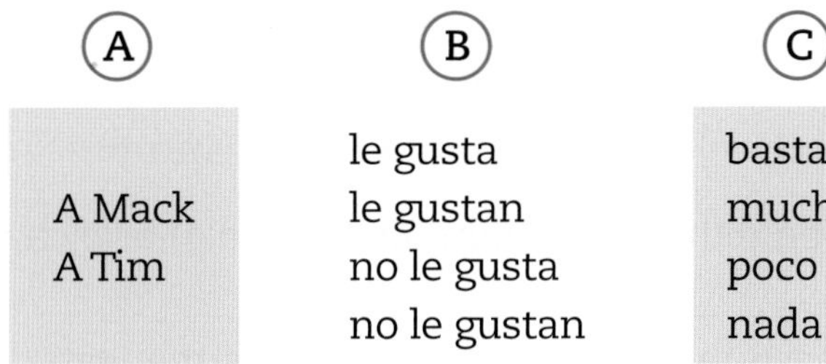

A	B	C	D
A Mack	le gusta	bastante	los maracuyás.
A Tim	le gustan	mucho	las papas.
	no le gusta	poco	el arroz.
	no le gustan	nada	el maíz.

17 ¿Cuánto les gusta...?

▶ **Escribe.** Mr. Ayaca has ranked the foods the pairs have tried in Peru. Read the notes he has taken, and summarize the opinions of these characters.

Modelo *A Mack no le gustan nada los postres.*

Opiniones sobre la comida:

	las frutas	los pescados	los postres
Mack	♥♥	♥♥♥	×
Tess	♥♥♥	×	♥
Andy	♥♥♥	♥♥	♥♥

♥♥♥ Mucho ♥ Poco
♥♥ Bastante × Nada

18 ¿Cuánto te gusta?

▶ **Habla.** Interview three classmates to find out how much they like these foods.

Modelo A. *¿Te gusta la leche?*
B. *Sí, me gusta mucho.*

1. los huevos
2. el jugo de naranja
3. el pescado
4. la carne

CONEXIONES: CIENCIAS

El paiche

El paiche es un pez que vive en el río Amazonas. Es muy grande, puede medir *(to measure)* 3 metros. El paiche come otros peces y pequeños animales.

19 Piensa. What other animals of this size are eaten by humans? Do they live on land or in water? Can you calculate the length of a *paiche* in feet and inches?

Gramática

Expresar deseo, preferencia y rechazo

Expresar deseo y preferencia. Los verbos *querer* y *preferir*

- In Spanish, the verb querer *(to want)* is used to express desire, and the verb preferir *(to prefer)* is used to express preference.

  Él **quiere** una naranja.
  Él **quiere** cenar.
  Yo **prefiero** una manzana.
  Yo **prefiero** preparar pescado.

  Note: Both verbs can be followed either by a noun (una naranja) or by a verb in the infinitive form (preparar).

- The verbs querer and preferir have the same stem change as the verb cerrar (e > ie).

VERBO QUERER (TO WANT). PRESENTE

Singular		Plural	
yo	**quiero**	nosotros nosotras	**queremos**
tú	**quieres**	vosotros vosotras	**queréis**
usted él ella	**quiere**	ustedes ellos ellas	**quieren**

VERBO PREFERIR (TO PREFER). PRESENTE

Singular		Plural	
yo	**prefiero**	nosotros nosotras	**preferimos**
tú	**prefieres**	vosotros vosotras	**preferís**
usted él ella	**prefiere**	ustedes ellos ellas	**prefieren**

Expresar rechazo

- To say that you do not like something, you can use gustar in the negative form.

  No me gusta el café.
  No me gusta cenar a las diez de la noche.

20 Comparación. How do you express desire, preference, and dislike in English?

21 Nuestras preferencias

▶ **Escribe.** Use *querer* or *preferir* and adverbs of quantity to explain the choices the people are making.

Modelo Yo ♥pescado ✕carne → *Yo quiero pescado porque no me gusta nada la carne.*

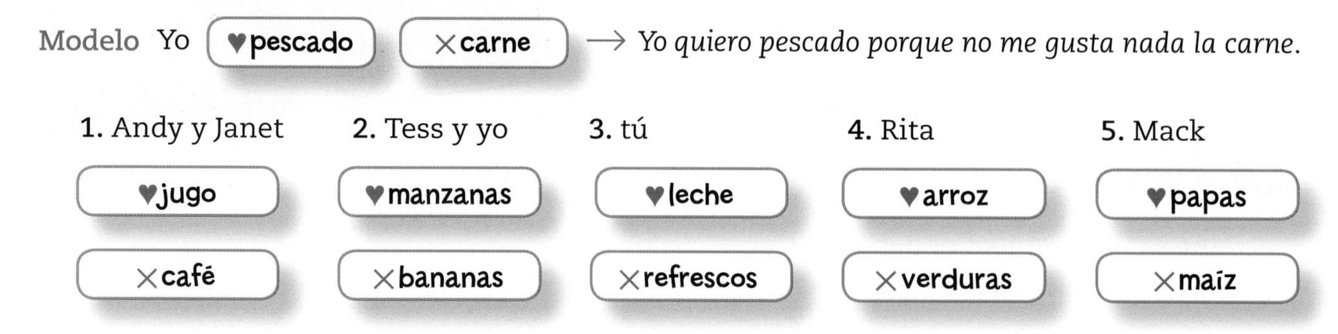

28 Una comida en mi casa

▶ **Escribe.** You are planning a dinner party for your friends. Write a menu.

▶ **Habla.** Tell your partner what you want to prepare and ask them if they like the menu. Do you think your menu was a good choice?

Modelo

29 ¿Qué pasa en la historia?

▶ **Escribe.** The marketplace was loud, and some words were lost during the recording of this dialogue. Fill in the missing words.

▶ **Representa.** Now act out the scene you just completed.

TU DESAFÍO

Earn points for your own challenge! Listen to the questions for your *Minientrevista Desafío 1* on the website and write your answers.

Seco de carne

Tess and Patricia are in Cuzco, a city in the southern part of Peru. Their task is to gather the ingredients to make *seco de carne*. The trick? They can buy only one ingredient at each store they visit!

Continuará...

30 Detective de palabras

▶ **Completa.** Complete the sentences using the *fotonovela*.

1. ¿Dónde ________ compramos?
2. ________ queremos de la mejor calidad.
3. ________ tienen en oferta.
4. ________ compramos en el supermercado.

▶ **Escribe.** Which noun does each of the missing words refer to?

Modelo ¿Dónde los compramos? → Los refers to *ingredientes*.

31 El supermercado

Lee y habla. Read the flyer below. Then tell a partner five things you want to buy from this supermarket.

Modelo

Quiero comprar pan para el desayuno.

Y yo quiero comprar leche y yogures para el desayuno.

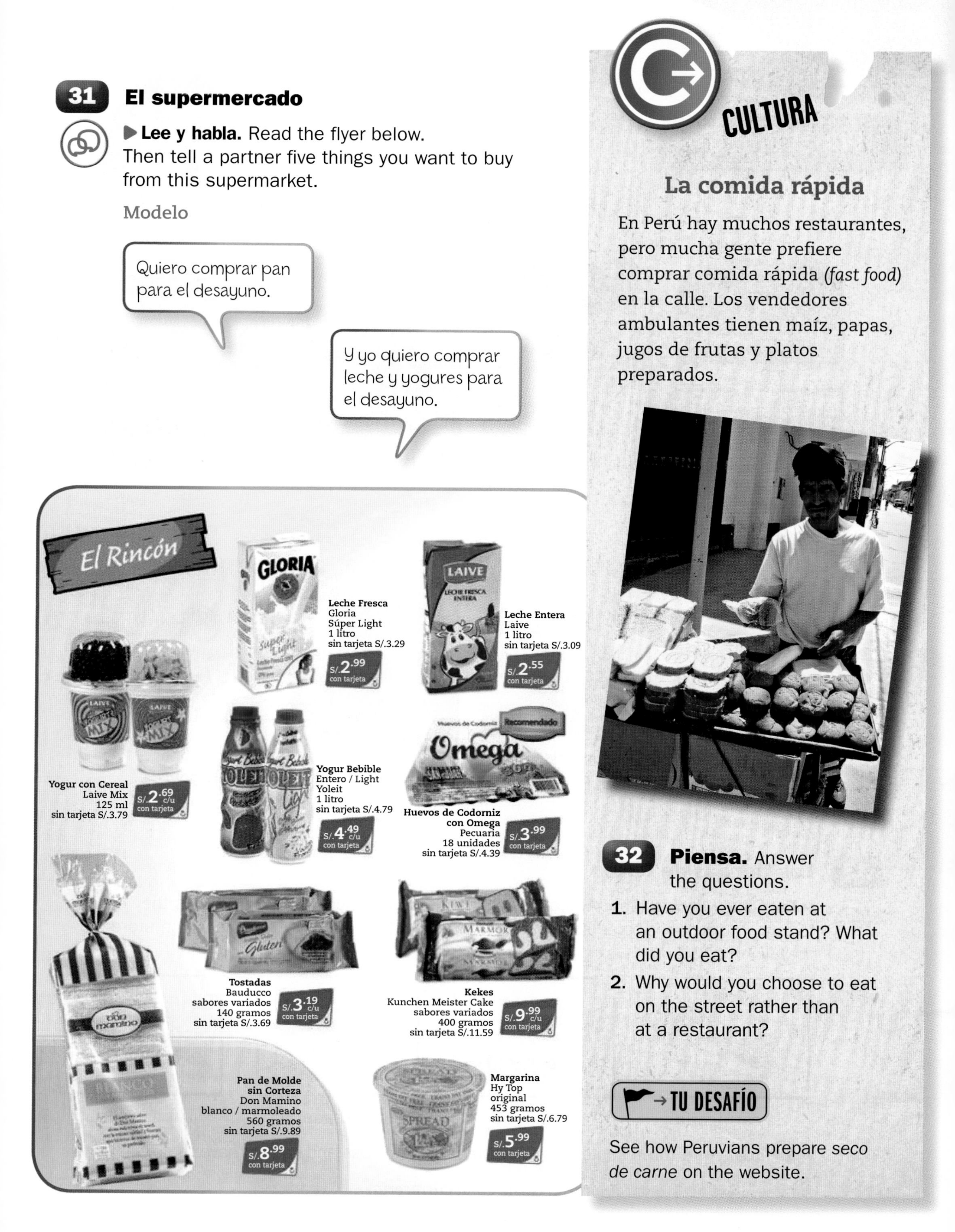

CULTURA

La comida rápida

En Perú hay muchos restaurantes, pero mucha gente prefiere comprar comida rápida *(fast food)* en la calle. Los vendedores ambulantes tienen maíz, papas, jugos de frutas y platos preparados.

32 Piensa.

Piensa. Answer the questions.

1. Have you ever eaten at an outdoor food stand? What did you eat?
2. Why would you choose to eat on the street rather than at a restaurant?

TU DESAFÍO

See how Peruvians prepare *seco de carne* on the website.

Vocabulario

Tiendas de alimentos

Acciones en la cocina

33 Las tiendas de Cuzco

▶ **Escucha y decide.** Chef Ayaca is telling Tess and Patricia what ingredients they have to buy. He mentions three stores they need to go to. Listen and decide which store they won't go to.

1. 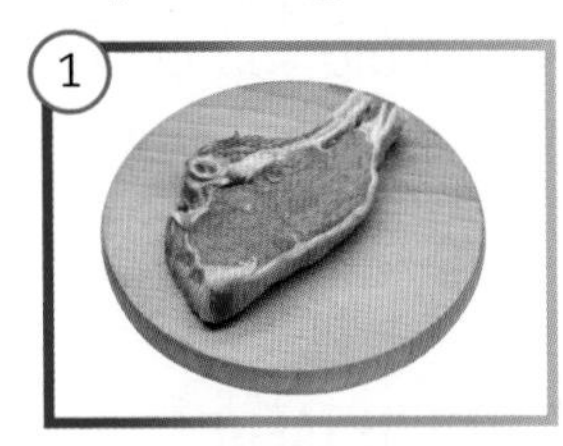
la carnicería

2. 
la frutería

3. 
la pescadería

4. 
la panadería

▶ **Escribe.** Write three sentences to summarize what Tess and Patricia have to do.

Modelo *Tess tiene que comprar la carne en la carnicería.*

34 Adivinanzas

▶ Escribe y habla. In which store can you buy the ingredients below? Write a sentence for each one. Your partner guesses the ingredient.

Modelo A. *Puedes comprar este ingrediente en la frutería.*
B. *¿Son las manzanas?*

1. el pollo
2. el pescado
3. las frutas y verduras
4. el pan

35 ¿Qué tenemos que hacer?

▶ Escucha y escribe. Mr. Ayaca, the chef of Restaurante Cuzco, is talking with Tess and Patricia. Listen and write what they have to do in his kitchen.

Modelo 1. *Tienen que cortar las verduras.*

1. cortar

2. cocinar

3. probar

4. mezclar

COMUNIDADES

TIENDAS DE ESPECIALIDADES

En muchos lugares del mundo hispano hay supermercados y también hay tiendas especializadas para cada tipo de comida. Por ejemplo, hay carnicerías para comprar la carne y fruterías para comprar las frutas y verduras.

36 Describe. Do many "mom-and-pop" stores still exist in your neighborhood? Where are they located? What do they sell?

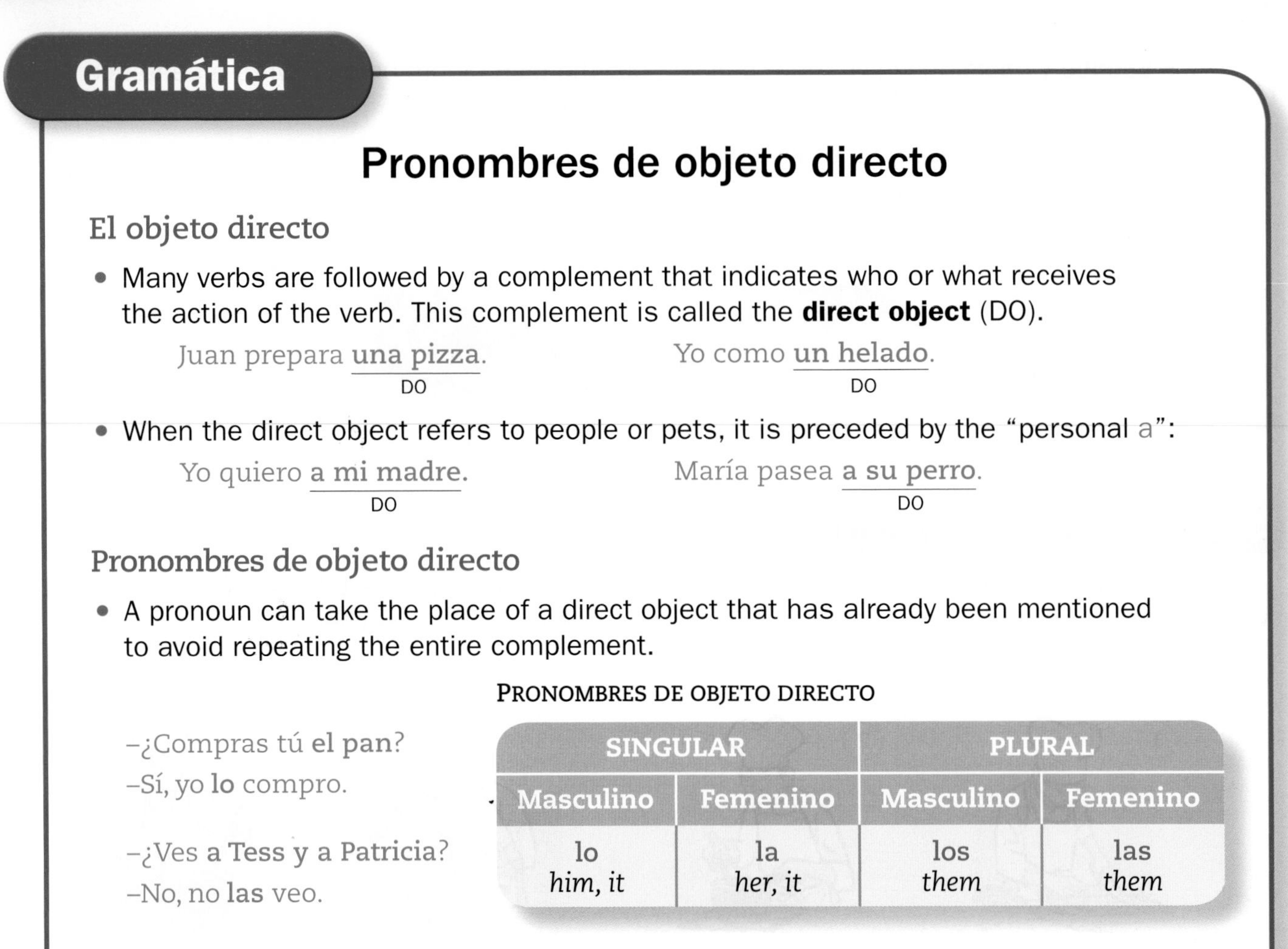

Gramática

Pronombres de objeto directo

El objeto directo

- Many verbs are followed by a complement that indicates who or what receives the action of the verb. This complement is called the **direct object** (DO).

  Juan prepara una pizza. (una pizza = DO) Yo como un helado. (un helado = DO)

- When the direct object refers to people or pets, it is preceded by the "personal a":

  Yo quiero a mi madre. (a mi madre = DO) María pasea a su perro. (a su perro = DO)

Pronombres de objeto directo

- A pronoun can take the place of a direct object that has already been mentioned to avoid repeating the entire complement.

–¿Compras tú **el pan**?
–Sí, yo **lo** compro.

–¿Ves **a Tess y a Patricia**?
–No, no **las** veo.

PRONOMBRES DE OBJETO DIRECTO

SINGULAR		PLURAL	
Masculino	Femenino	Masculino	Femenino
lo *him, it*	la *her, it*	los *them*	las *them*

- The direct object pronoun is placed before the conjugated verb. If the direct object goes with an infinitive, the pronoun can be attached to the end of the infinitive.

  Quiero comprar **un helado**. → **Lo** quiero comprar. / Quiero comprar**lo**.

37 **Comparación.** What are the direct object pronouns in English? Is there an English equivalent to the "personal a"?

38 **Confusiones**

▶ **Habla.** Tess is confused today. With a partner, correct her statements, expressing the direct objects with pronouns.

Modelo A. ¿Tú y yo compramos **los frijoles**?
B. *No. Tú* ***los*** *compras.*

1. ¿Andy y Mack preparan **el almuerzo** hoy?
   No. Tú y yo ______ preparamos hoy.
2. ¿Yo mezclo **las verduras**?
   No. Rita y Diana ______ mezclan.
3. ¿Tú compras **los huevos**?
   No. Tú ______ compras.
4. ¿El chef prueba **las recetas**?
   No. El chef no ______ prueba.

39 ¡Lo necesitamos!

Escucha y elige. Chef Ayaca is handing out ingredients to each pair for their Peruvian recipes. According to what they tell him, can you figure out which of the two items each character is referring to?

TIM: las papas/el arroz
TESS: la carne/las frutas
DIANA: el pescado/las verduras
ANDY: los huevos/la sal

40 Predicciones

Escribe y habla. Look at the pictures and write a question about what each person is doing and why. Then ask your partner, who will say what each one is doing with the ingredients. Use a direct object pronoun.

Modelo A. *¿Por qué compra Andy seis huevos?*
B. *Los compra porque tiene que preparar el desayuno.*

1. comprar pan **sándwiches**
2. cortar verduras **sopa**
3. mezclar leche y azúcar **postre**
4. cocinar carne **seco de carne**

CONEXIONES: CIENCIAS

¿Textiles o plástico?

Las bolsas de plástico de los supermercados causan problemas ambientales. En los Estados Unidos botamos *(throw away)* más de 100.000 millones de bolsas de plástico al año. Las bolsas textiles son mejores para el medio ambiente; puedes usarlas muchas veces.

41 Investiga. Use the Internet to find out how plastic bags harm the environment. Write your opinion about how to avoid these problems.

Comunicación

42 El seco de carne

▶ **Lee y responde.** These are the ingredients for *seco de carne*. Read the list and answer the questions.

Seco de carne peruano

INGREDIENTES

- un kilo de carne
- dos ajos
- un vaso de agua
- el jugo de un limón
- un vaso de arroz
- medio vaso de guisantes
- un tomate
- cilantro
- una cebolla
- tres papas
- medio vaso de aceite
- sal y pimienta

1. ¿Cuánta carne necesitas?
2. ¿Cuánta agua necesitas?
3. ¿Qué ingredientes tienes que comprar?
4. ¿Dónde los puedes comprar?

43 Una mañana de compras

▶ **Piensa y escribe.** Where should Tess and Patricia go in Cuzco to buy the ingredients they need for *seco de carne*? Complete this e-mail.

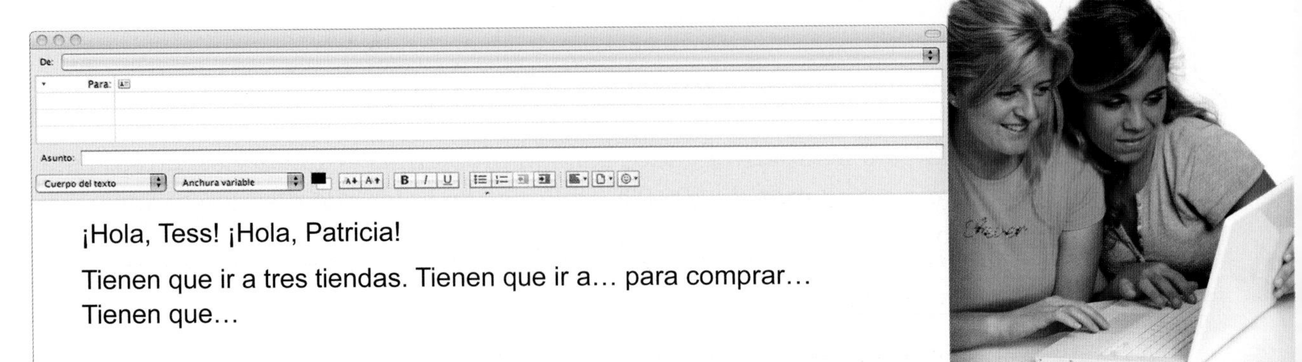

47 Un ceviche clásico

▶ **Escucha y ordena.** Chef Ayaca is explaining to Andy and Janet how to make *ceviche*. Listen and number the pictures in the order your hear them.

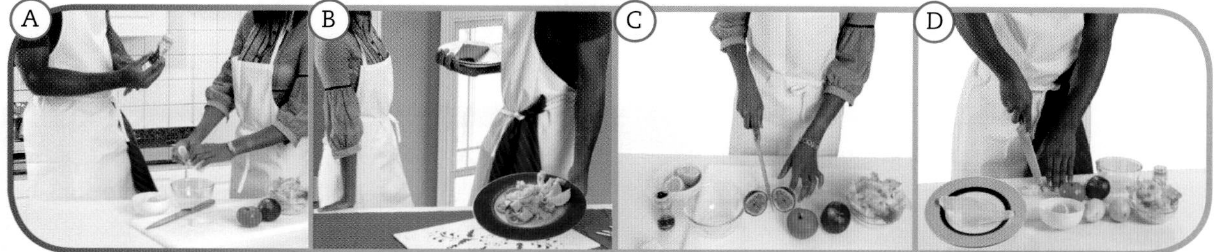
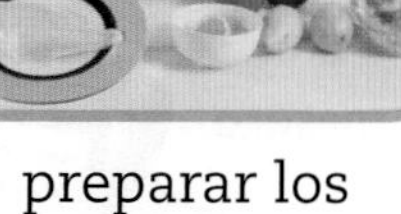

A	B	C	D
mezclar el ceviche	ponerlo en la mesa	cortarlos	preparar los ingredientes

48 ¿Dónde están, qué hacen, para quién?

▶ **Escribe.** Four people are buying or using ingredients to prepare a dish for their partner. Look at the photos and write three sentences for each one. Say

- Where the character is.
- What he or she is doing.
- For whom.

Modelo *Andy está en una cocina.*
Él prepara ceviche.
Lo prepara para Janet.

1 

preparar

2 
comprar

3 
cortar

4 
seleccionar

CULTURA

Ceviche para la cena

Normalmente los peruanos cenan sobre *(about)* las nueve de la noche. La comida principal es a las dos de la tarde. El ceviche es ideal para una cena saludable.

49 Compara. Why do you think some people eat dinner late in the evening? What are your eating habits? What are the typical meal times in the United States and why?

TU DESAFÍO Visit the website to watch a complete *ceviche* experience.

Vocabulario

En la mesa

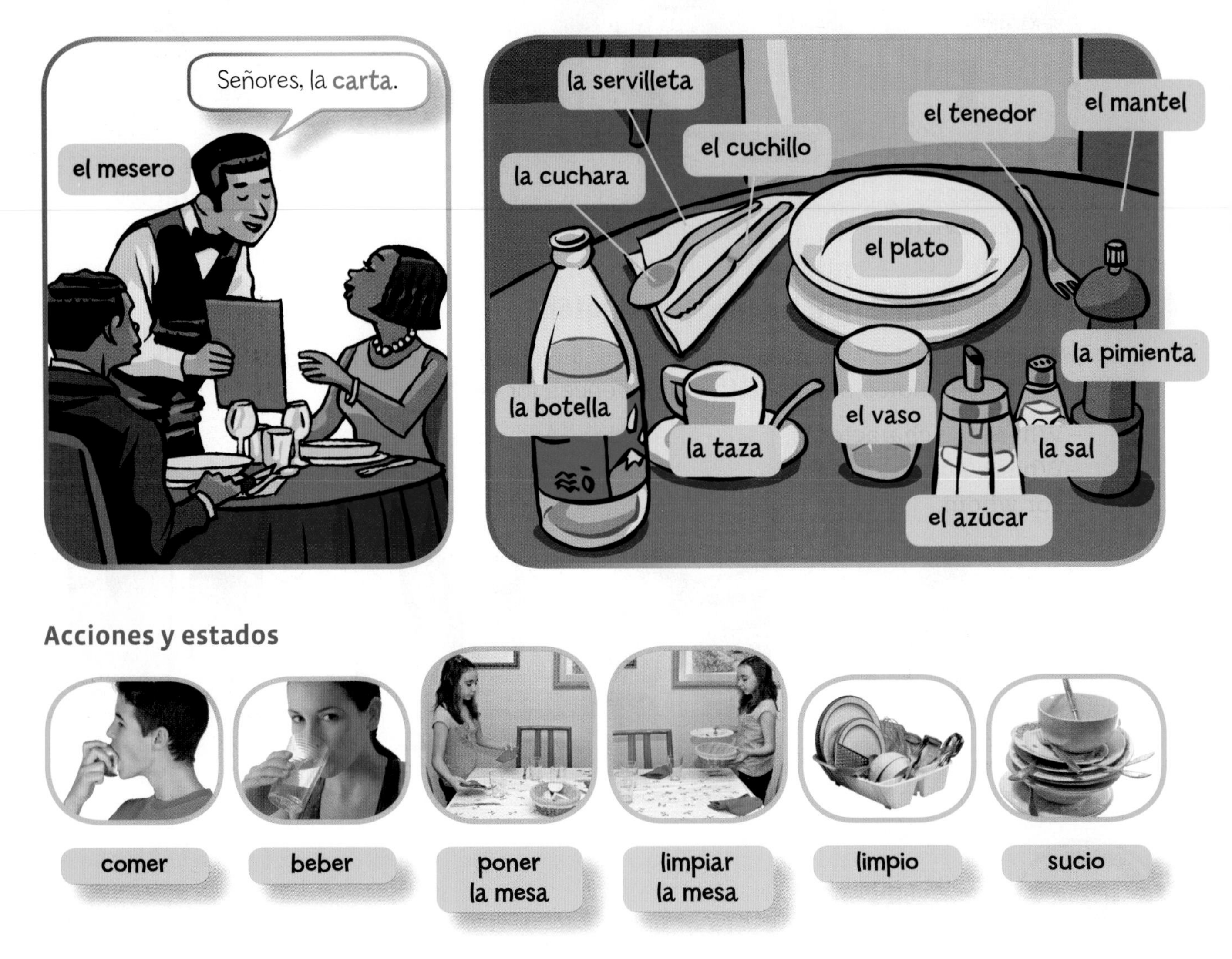

50 ¡A la mesa!

▶ **Escribe.** Andy is having something to eat. Describe what he is eating or drinking and what utensils he is using.

Modelo *Andy come* ***ceviche*** *en un plato.* ***Lo*** *come con un tenedor.*

51 Listos para la comida

Escucha y escribe. The characters are eating lunch together. Listen to the statements and combine the elements below to express what they need for each food or drink.

Modelo *Mack y Tim necesitan un vaso para beber el jugo de naranja.*

1. Mack		un tenedor			el seco de carne.
2. Tess		una cuchara			la hamburguesa.
3. Patricia	necesita	un cuchillo	para	comer	el ceviche.
4. Diana y Rita	necesitan	una taza		beber	el jugo de maracuyá.
5. Janet y Andy		un plato			el sancochado.
6. Tim		un vaso			el café.

52 Celebraciones

Habla. Talk with a classmate about what you and your family eat or drink during these times of the year.

Modelo A. *¿Qué comes el día de tu cumpleaños?*
B. *El día de mi cumpleaños como helado. Me gusta el helado de chocolate.*

CULTURA

El cuy peruano

Una comida típica de Perú es el cuy *(guinea pig)*. Es un plato popular de la región de los Andes. Los peruanos lo comen frito *(fried)* o asado *(roasted)*.

Para los incas, el cuy era *(was)* un alimento típico en las fiestas religiosas.

53 Compara. Why do you think that some foods taste delicious to some people, but seem strange to others? Are there things that you eat in your culture that could seem odd to others?

TU DESAFÍO Use the website to read the menu from a restaurant specializing in *cuy*.

Gramática

Verbos irregulares en la primera persona

- Some verbs are irregular in the present tense only in the first person (the yo form): for example, hacer *(to make/to do)*, poner *(to put)*, traer *(to bring)*, and salir *(to leave)*.

VERBOS *HACER*, *PONER*, *TRAER* Y *SALIR*. PRESENTE

		Hacer	Poner	Traer	Salir
Singular	yo	hago	pongo	traigo	salgo
	tú	haces	pones	traes	sales
	usted, él, ella	hace	pone	trae	sale
Plural	nosotros, nosotras	hacemos	ponemos	traemos	salimos
	vosotros, vosotras	hacéis	ponéis	traéis	salís
	ustedes, ellos, ellas	hacen	ponen	traen	salen

- These verbs are also irregular only in the first person:
  conocer *(to know)* ⟶ yo **conozco**, tú conoces, él conoce...
  saber *(to know)* ⟶ yo **sé**, tú sabes, él sabe...
  ver *(to see)* ⟶ yo **veo**, tú ves, él ve...

Uso de los verbos *hacer*, *salir* y *saber*

- The verb hacer is used to talk about what you usually make or do.

  Juan **hace** ensalada los martes.

- The verb salir is usually followed by the preposition de when it means *to leave a place*.

  Ellos **salen de** la escuela.

- The verb saber preceding an infinitive means *to know how (to do something)*.

  Nosotros **sabemos poner** la mesa.

54 **Piensa.** Think about all the irregular conjugations you know. Which person seems to have the most irregular forms: yo, nosotros, or ellos?

55 ¿Andy es perfecto?

▶ **Escribe.** Tim thinks Andy does everything right. Janet disagrees. Rewrite the sentences to reflect what Janet would say.

Modelo Andy sabe hacer dos platos peruanos.
⟶ *¡No, yo sé hacer dos platos peruanos!*

1. Andy siempre hace la comida.
2. Andy pone la mesa todos los días.
3. Andy sabe preparar ceviche.
4. Andy no sale nunca de la cocina.
5. Andy conoce buenas recetas peruanas.
6. Andy ve programas de cocina en la televisión.

56 Así se pone la mesa

▶ **Escribe.** Write a list of the steps you take to set the table. Use the verb *poner* in the *yo* form.

Modelo *Pongo el tenedor a la izquierda del plato.*

57 Un almuerzo en el parque

▶ **Escucha y escribe.** Andy and his Peruvian friend Reina are going to have lunch in the park. Listen to their conversation and write what each person is bringing.

botellas de agua	vasos
jugo de maracuyá	tenedores
platos	servilletas

Modelo *Reina trae las botellas de agua.*

58 ¿Comparten las tareas domésticas?

▶ **Habla.** Which of these chores do you do at home? And your partner? Tell each other what you do or don't do.

1. poner la mesa
2. sacar la basura
3. cortar el pan
4. hacer la ensalada
5. traer los vasos
6. lavar los platos

Modelo A. *Yo pongo la mesa todos los días.*
B. *Yo también pongo la mesa.*

▶ **Habla y escribe.** Now go around the classroom and interview three classmates. Tally their answers in your notebook. How many people do each chore?

Modelo *Tres chicos ponen la mesa.*

Los modales en la mesa en Perú

Los peruanos comen con el tenedor en la mano izquierda *(left hand)* y el cuchillo en la mano derecha *(right hand)*. No cambian el tenedor de mano como en los Estados Unidos.

59 Compara. Answer the questions.

1. What are proper table manners in the United States?
2. How do they compare with table manners in Peru and in other countries you know about?

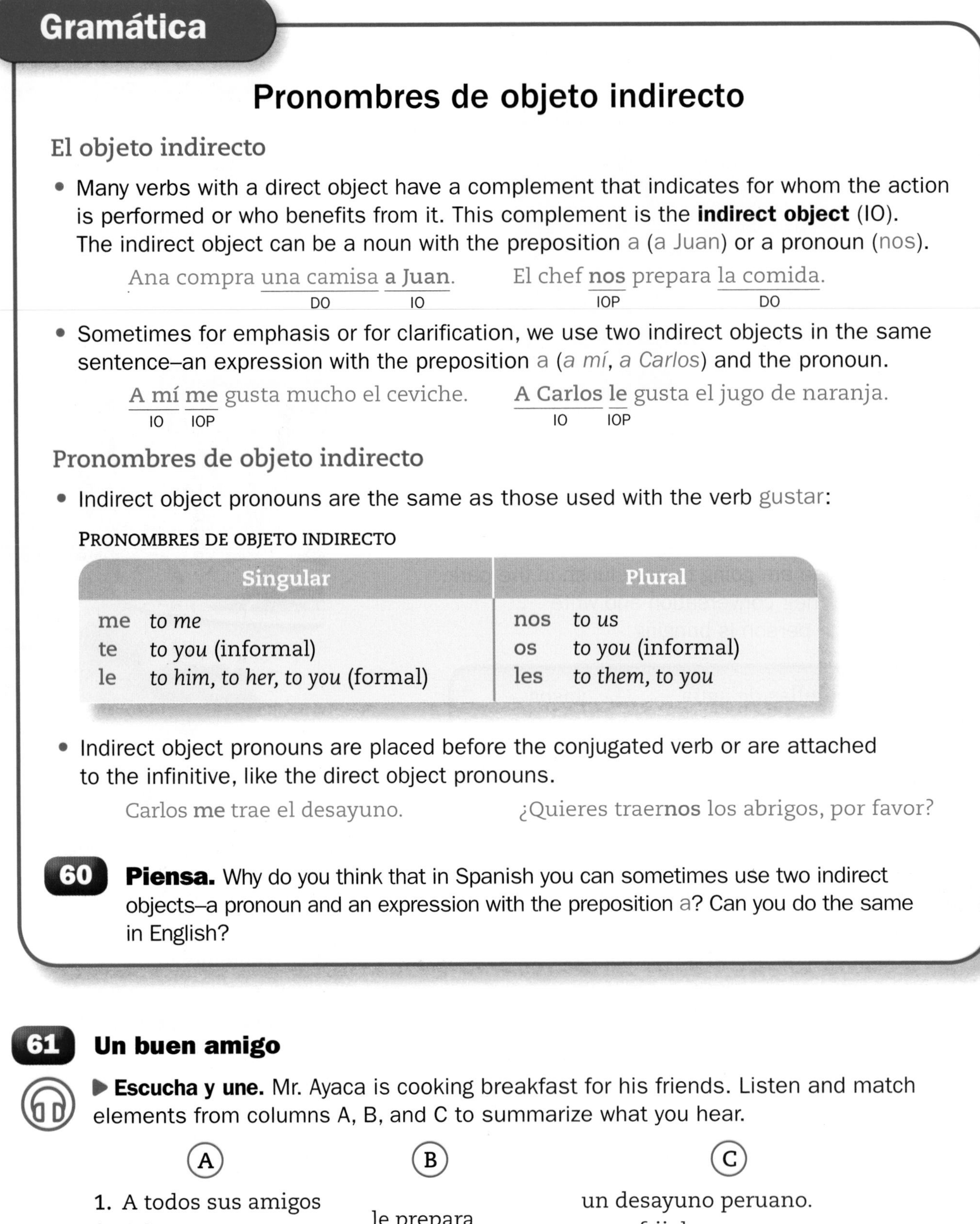

Gramática

Pronombres de objeto indirecto

El objeto indirecto

- Many verbs with a direct object have a complement that indicates for whom the action is performed or who benefits from it. This complement is the **indirect object** (IO). The indirect object can be a noun with the preposition a (a Juan) or a pronoun (nos).

  Ana compra una camisa (DO) **a Juan** (IO). El chef **nos** (IOP) prepara la comida (DO).

- Sometimes for emphasis or for clarification, we use two indirect objects in the same sentence–an expression with the preposition a (*a mí*, *a Carlos*) and the pronoun.

  A mí (IO) **me** (IOP) gusta mucho el ceviche. **A Carlos** (IO) **le** (IOP) gusta el jugo de naranja.

Pronombres de objeto indirecto

- Indirect object pronouns are the same as those used with the verb gustar:

PRONOMBRES DE OBJETO INDIRECTO

Singular		Plural	
me	*to me*	nos	*to us*
te	*to you* (informal)	os	*to you* (informal)
le	*to him, to her, to you* (formal)	les	*to them, to you*

- Indirect object pronouns are placed before the conjugated verb or are attached to the infinitive, like the direct object pronouns.

  Carlos **me** trae el desayuno. ¿Quieres trae**nos** los abrigos, por favor?

60 **Piensa.** Why do you think that in Spanish you can sometimes use two indirect objects–a pronoun and an expression with the preposition a? Can you do the same in English?

61 Un buen amigo

Escucha y une. Mr. Ayaca is cooking breakfast for his friends. Listen and match elements from columns A, B, and C to summarize what you hear.

A	B	C
1. A todos sus amigos	le prepara	un desayuno peruano.
2. A Janet	nos prepara	unos frijoles.
3. A nosotros	les prepara	un vaso de leche con chocolates.
4. A Mack		una sopa caliente.

62 ¡Cuántas tareas!

Completa. Andy's text message is missing some words. Complete each sentence with an indirect object pronoun.

1. Nosotros __le__ compramos un postre a Tim.
2. Yo ______ preparo unos sándwiches a Tess y a Patricia.
3. Yo ______ compro unas manzanas a Mack.
4. Nosotros ______ preparamos ceviche a Diana y a Rita.
5. Papá siempre ______ prepara sus platos favoritos a Tess.

63 ¿Qué necesitan?

Escribe. Everyone needs something passed to them during lunch. Rewrite the sentences using an indirect object pronoun and the verb *pasar*.

Modelo Diana y Rita necesitan la sal. (yo) → *Yo les paso la sal.*

1. Arnoldo necesita un tenedor nuevo. (Tess)
2. Yo necesito unas servilletas. (Mack y Andy)
3. Ana y yo necesitamos una taza pequeña. (Rita)
4. Ellas necesitan un plato limpio. (Patricia)
5. Miguel necesita unos vasos grandes. (Janet y Andy)

64 ¿Y tú?

Escribe. What about you? Answer the questions. Include how often you do each activity.

Modelo ¿Escribes cartas a tus abuelos?
→ *No. No* ***les*** *escribo cartas* ***casi nunca****.*

1. ¿Haces la tarea a tus hermanos?
2. ¿Preparas el desayuno a tu familia?
3. ¿Escribes correos electrónicos a tus amigos?
4. ¿Haces regalos a tu padre?

CONEXIONES: MATEMÁTICAS

Una mesa formal

Mucha gente hace cenas formales en casa para celebrar cumpleaños o fiestas importantes con su familia y sus amigos.

65 Pregunta. Use these questions to interview your classmates. Make a bar graph to represent the results.

1. ¿Hace tu familia cenas formales en tu casa? ¿Qué comen?
2. ¿Ponen mantel? ¿Invitan a amigos?

66 Piensa. Are some utensils not commonly used in some cultures? Why?

Comunicación

67 Una comida formal

▶ **Escucha y elige.** Janet is going to cook some Peruvian food for her friends. Listen and say which of these dishes she is preparing for her menu.

1. jugo de frutas
2. arroz con pollo
3. café
4. seco de carne
5. postre de chocolate
6. ceviche

▶ **Habla.** Now tell a partner what utensils she needs for each dish.

Modelo 1. Jugo de frutas ⟶ *Para el jugo de frutas Janet necesita un vaso.*

68 ¿Qué ves?

▶ **Escribe.** What do you see in this picture? What do you think these people are saying? Write a paragraph describing what you think is happening at the table.

Modelo

Hay cuatro personas en un restaurante. En la mesa hay cuatro platos…

69 Restaurante típico El Inca

▶ **Escucha y escribe.** Mr. Ayaca is reviewing his notes about the favorite foods of his guests. Take notes on their preferences.

1. Mack 2. Patricia y Tess 3. Andy 4. Janet 5. Diana y Rita 6. Tim 7. Mr. Ayaca

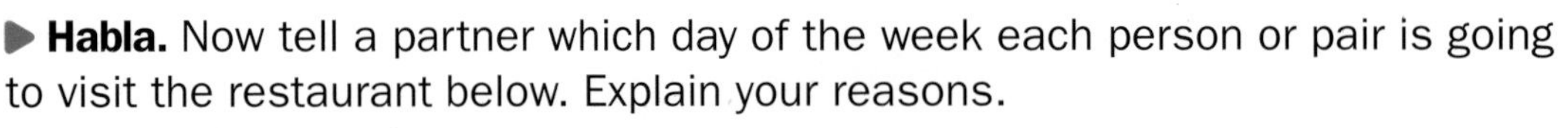

▶ **Habla.** Now tell a partner which day of the week each person or pair is going to visit the restaurant below. Explain your reasons.

Modelo Mack ⟶ *Mack va al restaurante el jueves porque le gusta el cuy.*

El Inca

Las comidas de esta semana:

LUNES	➤ *Arroz con pollo, ensalada y jugo de maracuyá*	30 soles
MARTES	➤ *Ceviche, sopa del día y refresco*	28 soles
MIÉRCOLES	➤ *Seco de carne, ensalada y refresco*	33 soles
JUEVES	➤ *Cuy asado, sopa y limonada*	45 soles
VIERNES	➤ *Pescado, papas y refresco*	39 soles

70 Comidas especiales

Habla. Special foods are often associated with a holiday or a celebration. Choose one of the photos, identify the occasion, and describe the foods you would serve your guests.

Modelo 1. *Es un cumpleaños. A los invitados les preparamos hamburguesas, una torta…*

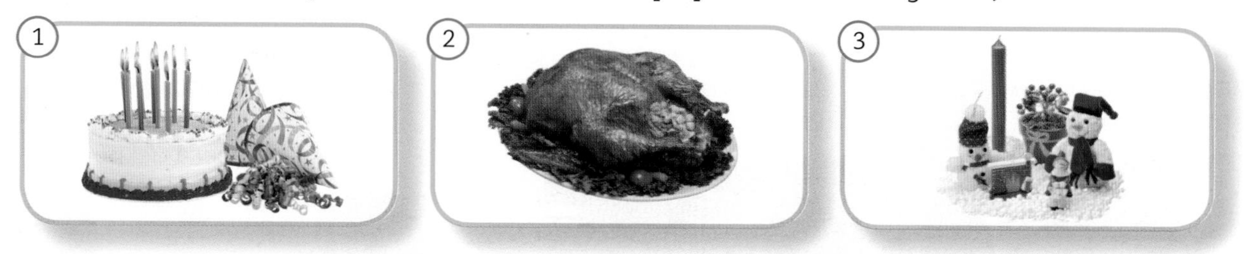

Final del desafío

Por la mañana

ANDY: Janet, tenemos que preparar el ceviche.
JANET: Sí. Y hay que comprar los ingredientes.

JANET: ¿ ___1___ yo el jugo?
ANDY: Sí, y yo ___2___ la mesa.

Por la tarde

ANDY: ___3___
JANET: ___4___

Por la noche

ANDY: Traemos un ceviche delicioso. ¿Le gusta?
CHEF: Gracias, Andy y Janet. El plato es muy bonito.

71 ¿Qué pasa en la historia?

Escribe. Andy and Janet waited until the last minute to prepare their dish. Read their dialogue for the whole day and fill in the blanks.

Suspiro limeño

Diana and Rita are in Lima, Peru. They are searching for a *chifa*, a Peruvian-Chinese restaurant. This *chifa* is famous for its *suspiro limeño*. Diana and Rita have to try it and discover the secret ingredient.

Continuará...

72 Detective de palabras

▶**Completa.** Using the *fotonovela*, find the word that completes each statement.

1. El chef lo ______ todos los días.
2. No podemos ______ la receta del hotel.
3. ¿Les ______ agua?

▶**Decide.** The verb *servir* is irregular. How do the forms you used above reflect that?

77 Quiero probar ese plato

▶ **Escucha y decide.** Diana is talking to Tess about her recent visit to a Peruvian restaurant. Listen and say if each statement is true *(cierto)* or false *(falso)*.

1. El restaurante es una chifa.
2. Los meseros son muy elegantes.
3. La carta tiene muchos platos.
4. Las mesas están sucias.
5. La comida está muy picante.
6. El suspiro está muy dulce.

78 Mis alimentos preferidos

▶ **Habla.** Talk to your partner about your favorite meals. Include drinks, main courses, and desserts. Write a list and comment on each item.

Modelo *Me gustan los refrescos fríos.*

▶ **Escribe.** Create a Venn diagram as you share your information.

Modelo

Fran y Mike

Fran

postres dulces

papas saladas

arroz picante

agua fría

Mike

verduras calientes

manzanas dulces

79 ¿Cómo está tu plato?

▶ **Representa.** You are having lunch at a Peruvian restaurant with a friend. Write a dialogue evaluating the dishes and act it out.

Modelo A. *¿Cómo está el paiche?*
B. *Está muy bueno, pero un poco salado. ¿Y el arroz?*

CONEXIONES: CIENCIAS

El sentido del gusto

Muchos científicos piensan que las personas percibimos los sabores (salado, dulce, agrio y amargo) en un punto concreto de la lengua *(tongue)*. Pero otros científicos piensan que es posible percibir los sabores en toda la lengua. ¡Pruébalo!

80 Investiga. Place some salt at a specific point on your tongue. Do you taste the salt? Try it with other locations and with other flavors.

Gramática

Verbos con raíz irregular *(e > i)*

- Some irregular verbs like pedir *(to ask for)* require an e to i stem change in the present tense.

  e > i → pedir > pido

- Verbs with this irregularity are conjugated as follows:

VERBO PEDIR (TO ASK FOR). PRESENTE

Singular		Plural	
yo	**pido**	nosotros nosotras	**pedimos**
tú	**pides**	vosotros vosotras	**pedís**
usted él ella	**pide**	ustedes ellos ellas	**piden**

Note: The e > i stem change affects all subjects except nosotros, nosotras and vosotros, vosotras.

- Other verbs conjugated like pedir are:

  competir *(to compete)* → yo compito, tú compites, él compite...
  medir *(to measure)* → yo mido, tú mides, él mide...
  repetir *(to repeat)* → yo repito, tú repites, él repite...
  servir *(to serve)* → yo sirvo, tú sirves, él sirve...

81 **Piensa.** Look at the light-colored sections in the conjugation box. Why do you think that these verbs are often called "boot or shoe verbs"?

82 **Los desafíos en Perú**

▶ **Completa.** These are the things Diana says about the challenges in Peru. Complete and write the sentences.

Modelo El chef mide (medir) los ingredientes varias veces.

1. Yo ______ (competir) para tener el mejor plato.
2. Mis amigos ______ (pedir) ayuda con sus recetas.
3. El chef ______ (repetir) la receta.
4. Yo ______ (medir) el azúcar en una taza.

90 ¿Está rico?

▶ **Escribe.** Describe these foods as to temperature and flavor. Would you order these dishes in a restaurant? Explain your answer.

Modelo El sushi → *El sushi es un plato frío y salado. Nunca pido sushi en los restaurantes porque no me gusta.*

1 la hamburguesa

2 la ensalada

(3) el pollo con arroz

4 el helado

Final del desafío

91 ¿Qué pasa en la historia?

▶ **Escribe y representa.** Write a script for these scenes. Do you think Rita and Diana will get the *suspiro limeño* right? With your classmates, select the best script and act it out.

Earn points for your own challenge! Listen to the questions for your *Minientrevista Desafío 4* on the website and write your answers.

Todo junto

HABLAR

92 Un día de campo

▶ **Habla y completa.** You are planning an all-day excursion to the countryside for you and your friends. Talk to a partner and fill in each column with the foods, drinks, and utensils each person has to bring.

Modelo

Andrea	José	Jill	Mónica	Mario
pan	refrescos	platos		

▶ **Habla.** Using the information above, talk to your classmates about your plan. Do they like it?

ESCUCHAR Y ESCRIBIR

93 Una receta peruana

▶ **Escucha y escribe.** Diana phones her cousins to share her recipe for *suspiro limeño*. Listen to the message and complete the list of ingredients.

SUSPIRO LIMEÑO

INGREDIENTES

- Dos tazas de __1__ evaporada.
- __2__ tazas de leche condensada.
- Cinco __3__ .
- Una taza de __4__ .
- Esencia de vainilla.
- Canela.

▶ **Elige.** Look at the pictures and choose the ingredient you do not need to prepare *suspiro limeño*.

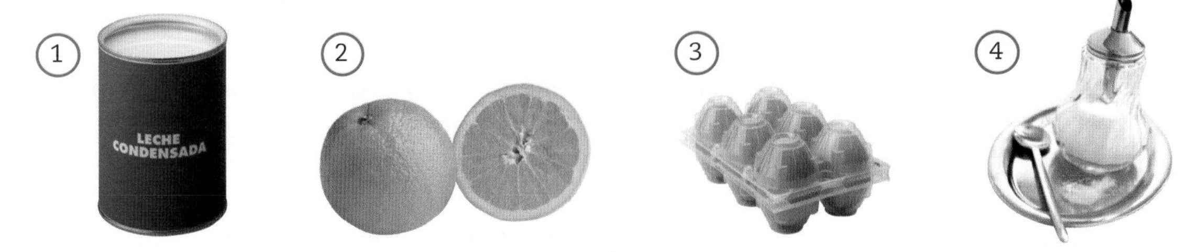

▶ **Escribe.** Write the ingredients you need to prepare your favorite dessert.

LEER Y HABLAR

94 La crítica

▶ **Lee y decide.** The pairs found these restaurant reviews in a tour guide. Read them and decide which restaurant they should go to.

Restaurantes recomendados

Restaurante El Inca

Aquí encuentras los platos típicos del norte. Siempre pido los frijoles con carne. Son deliciosos. Y los postres son muy ricos. Mi favorito es el suspiro limeño.

Hay un problema: los meseros son muy antipáticos.

La nueva chifa

El cuy asado es la especialidad de la casa. Puedes comerlo con papas o con arroz. Normalmente está bien, pero a veces lo sirven demasiado salado.

No tienen muchos postres, pero sí buen café. Los meseros son muy amables.

Nuestra opinión

	Restaurante El Inca	La nueva chifa
Comida	9	6
Postres	7	0
Café	5	8
Atención	3	8

▶ **Habla.** Explain your answers using *pero* (but) or *porque* (because).

Modelo *El Inca tiene mejor comida, pero los meseros son antipáticos.*

En la Plaza de Armas de Lima

The pairs are in Lima. They have all completed their cooking task, and their dishes are ready for tasting. You are the judge! Decide who has prepared the best dish.

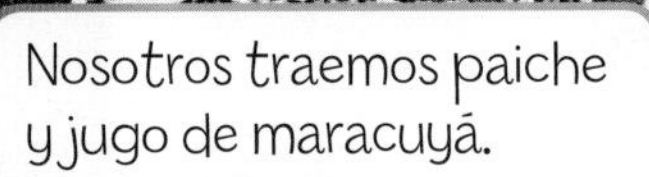

Los paisajes de Perú

There are three natural regions in Peru: the coast, the mountains, and the forest.

1. La costa y Lima

Peru has 1,800 kilometers of coastline. The biggest cities, such as Lima and Trujillo are on the coast.

Lima has a Spanish origin. It was founded in 1535, and for almost 300 years it was the capital of the Spanish territory in South America.

(1) Plaza de Armas (Lima).

(2) Parque Nacional de Huascarán.

(3) Selva amazónica.

2. La región andina

Peru boasts a continuous chain of highlands called the Andes mountain range. Cuzco is located in this area. Its altitude is around 3,399 m (10,800 ft.).

3. La selva amazónica

The Amazon Forest, on the eastern side of the Andes, covers more than half of Peru. Although sparsely populated, the area offers a rich variety of botanical and animal species. The most important city is Iquitos.

98 ¿Cómo es Perú?

▶ **Lee y escribe.** Copy the chart and then use the information above and the map to complete it.

▶ **Escribe.** Which Peruvian region is the least populated? Why do you think this is? Would you live there? Why or why not?

¿DÓNDE ESTÁ?	En la costa	En las montañas	En la selva
La capital del país			
Trujillo			
Cuzco			
Iquitos			

1. Los incas, reyes de las montañas

There are many ruins of ancient Incan cities and sanctuaries in the Andes. Near Cuzco, on top of the high mountains, lies Machu Picchu, a well-preserved Incan city.

The Inti Raymi, an Incan festival honoring the sun, is celebrated every year on June 24.

(1) Santuario de Machu Picchu (Cuzco).

(2) Desierto de Nazca.

2. Las líneas de Nazca

In the Nazca Desert, south of Lima, there are strange pictures of humans, animals, and geometric figures made with lines, which can be seen only from the air. Some people believe that these lines form an astronomic calendar of the Nazcas, a culture that existed before the Incas.

(3) Totoras.

3. Los caballitos de totora

Totora is a plant found extensively in Peru. For 3,000 years it has been used to make *caballitos de totora*, a type of boat used on the northern coast and on Lake Titicaca. In 1947, the Norwegian explorer Thor Heyerdahl sailed from Peru to Polynesia in a totora boat or raft, called Kon-Tiki.

(4) Plaza de Armas (Arequipa).

(4) Convento de Santa Catalina (Arequipa).

4. Arequipa: una ciudad muy europea

After Lima, Arequipa is the most important city in Peru. The buildings in this city are made of volcanic stones.

Santa Catalina is a convent in Arequipa. It is like a city inside the city. It has large gardens, squares, and long streets, and is more than 400 years old.

99 Visitas en Perú

▶ **Investiga y escribe.** Find more information on one of the topics below and write a short summary about it.

- ¿Dónde está este lugar?
- ¿Cómo es?
- ¿Por qué es famoso?

La ciudad inca de Machu Picchu.

Una visita turística por Arequipa.

El misterio de las líneas de Nazca.

Celebración del Inti Raymi.

READING STRATEGY

Making inferences

Making inferences is a key strategy for effective comprehension. We make inferences every day.

Inferring when reading means figuring out things not directly stated in the text, or making a logical guess based on what you read.

To make inferences about a word or a topic, you can use clues from the text, the images, and your prior knowledge.

Festividad inca del Inti Raymi

Lugar y fecha

Región: Cuzco. Ubicación: explanada de Sacsayhuaman, a 1 km de la ciudad de Cuzco.

Fecha: 24 de junio.

Descripción

El Inti Raymi es un rito inca en honor del Sol. Coincide con el solsticio de invierno.

El rito se representa en Cuzco el 24 de junio y participan miles de cuzqueños y turistas. El Inca, hijo del Sol, preside la ceremonia.

Primero, el Inca invoca al Sol en el templo de Qorikancha, y en la Plaza de Armas comienza un colorido desfile *(parade)*. La representación continúa en Sacsayhuaman. Allí, el Inca ofrece un vaso de chicha al Sol y los actores representan varios ritos tradicionales. Hay bailes y cantos durante todo el día.

Información útil

Clima: Frío y seco. Temperatura media: 12 °C (54 °F)

Cómo llegar: Lima–Cuzco (1 hora), vuelos diarios.
Lima–Cuzco, vía Arequipa, 1.650 km.

DESAFÍO 1

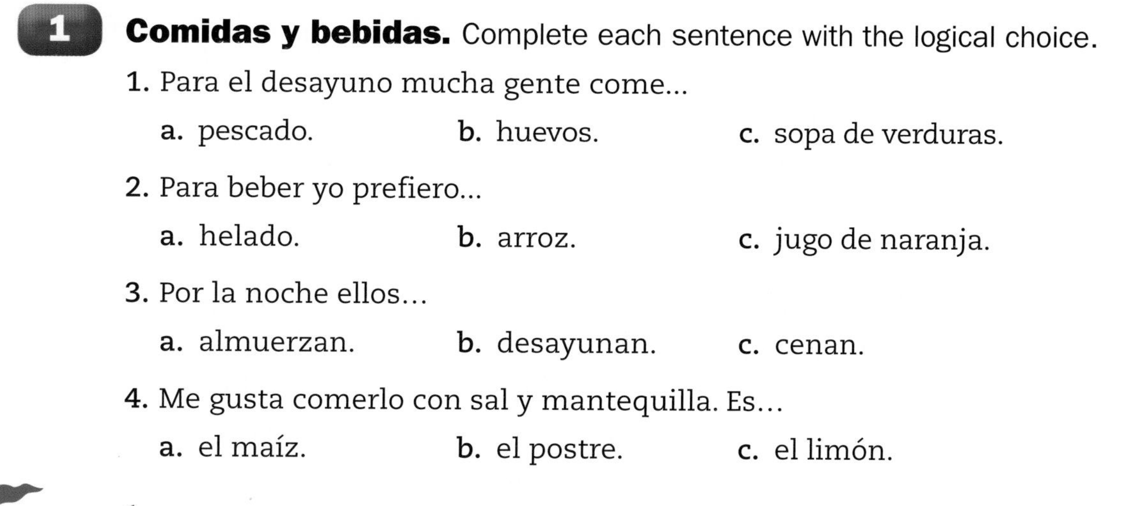

1 Comidas y bebidas. Complete each sentence with the logical choice.

1. Para el desayuno mucha gente come...
   a. pescado. b. huevos. c. sopa de verduras.
2. Para beber yo prefiero...
   a. helado. b. arroz. c. jugo de naranja.
3. Por la noche ellos...
   a. almuerzan. b. desayunan. c. cenan.
4. Me gusta comerlo con sal y mantequilla. Es...
   a. el maíz. b. el postre. c. el limón.

DESAFÍO 2

2 ¿Dónde lo compro? Match each item with the corresponding picture.

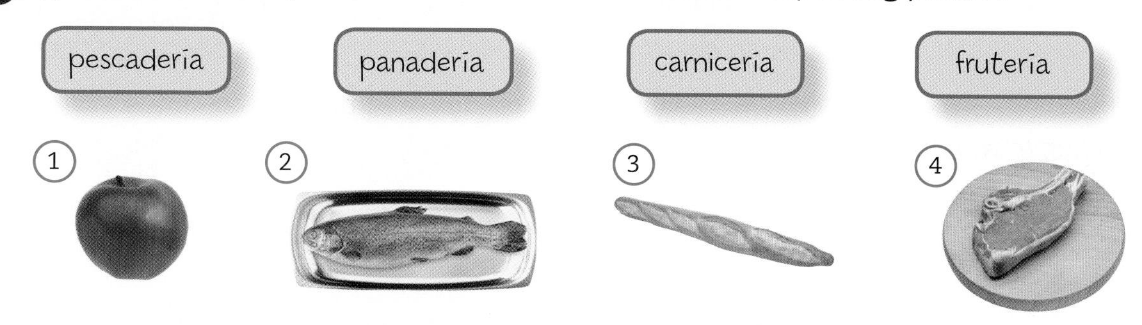

DESAFÍO 3

3 En la mesa. Answer the questions, correcting the mistakes.

Modelo ¿Como la sopa con el tenedor?
→ *No, la como con la cuchara.*

1. ¿Pongo la ensalada en el vaso?
2. ¿Corto la carne con el tenedor?
3. ¿Tomo el helado con el cuchillo?
4. ¿Sirvo el café en el plato?
5. ¿Sirvo las verduras en la taza?

DESAFÍO 4

4 Tus gustos. Describe the foods according to their flavor (*salado, dulce, agrio, amargo, picante*) and their temperature (*frío, caliente*).
Say how much you like each one.

Modelo sushi → *Está frío y es salado. Me gusta mucho.*

1. el jugo de limón
2. la sopa de verduras
3. el helado
4. la banana

Adverbios de cantidad (pág. 216)

nada	*not at all*	bastante	*quite, enough*
poco	*little, not much*	mucho	*a lot, much*

Pronombres de objeto directo (pág. 226)

singular		plural	
lo	*him, it*	los	*them*
la	*her, it*	las	*them*

Pronombres de objeto indirecto (pág. 236)

singular		plural	
me	*to me*	nos	*to us*
te	*to you* (informal)	os	*to you* (informal)
le	*to him, to her, to you* (formal)	les	*to them, to you*

Los verbos *querer* y *preferir* (*e* > *ie*) (pág. 218)

QUERER

yo	quiero	nosotros nosotras	queremos
tú	quieres	vosotros vosotras	queréis
usted él ella	quiere	ustedes ellos ellas	quieren

PREFERIR

yo	prefiero	nosotros nosotras	preferimos
tú	prefieres	vosotros vosotras	preferís
usted él ella	prefiere	ustedes ellos ellas	prefieren

Verbos irregulares en la primera persona (pág. 234)

	HACER	PONER	TRAER	SALIR
yo	hago	pongo	traigo	salgo
tú	haces	pones	traes	sales
usted, él, ella	hace	pone	trae	sale
nosotros(as)	hacemos	ponemos	traemos	salimos
vosotros(as)	hacéis	ponéis	traéis	salís
ustedes, ellos(as)	hacen	ponen	traen	salen

Other verbs with irregular first-person forms: *conocer* (*yo conozco*), *saber* (*yo sé*), *ver* (*yo veo*).

Verbos con raíz irregular (*e* > *i*) (pág. 244)

PEDIR

yo	pido	nosotros nosotras	pedimos
tú	pides	vosotros vosotras	pedís
usted él ella	pide	ustedes ellos ellas	piden

Other verbs like *pedir*: *competir*, *medir*, *repetir*, *servir*.

DESAFÍO 1

5 **Preferencias.** Answer the questions with the correct form of the verb *preferir* and the word or phrase in parentheses.

Modelo ¿Quieren ustedes arroz? (papas) ⟶ *No, gracias. Preferimos papas.*

1. ¿Quiere usted sopa? (ensalada)
2. ¿Quiere ella pescado? (carne)
3. ¿Quieren ellos café? (jugo de manzana)
4. ¿Quieres frijoles? (maíz)

DESAFÍO 2

6 **Tareas.** Who has to do each job? Use the words below to write complete sentences. Remember to use the appropriate pronoun.

Modelo Comprar **el pescado** - Pedro
⟶ *Pedro* **lo** *compra. Pedro tiene que comprar***lo**.

1. Mezclar **las verduras** - yo
2. Cortar **la carne** - mi madre
3. Preparar **la salsa** - ustedes
4. Limpiar **las tazas** - tú

DESAFÍO 3

7 **¿A quién?** In each sentence, replace the underlined words with the appropriate indirect object pronoun.

Modelo Pido la carta al mesero ⟶ *Le pido la carta.*

1. El mesero trae una pizza a ti.
2. Nosotros pedimos un café a la mesera.
3. Yo preparo el desayuno a mis padres.
4. El mesero sirve el postre a mí.

DESAFÍO 4

8 **¿Qué pide?** Write four sentences with the correct form of the verbs.

Modelo Ella - pedir una sopa ⟶ *Ella pide una sopa.*

1. Yo - medir los ingredientes
2. Ellos - repetir la receta
3. Tú - servir el postre
4. Nosotros - pedir un refresco

CULTURA

9 **Perú inca.** Answer the questions.

1. With what three geographical regions do you associate Lima, Cuzco, and Iquitos?
2. Why was Cuzco so important in the past? What famous ruins are nearby?
3. How did the Incas honor the sun?
4. What is the main industry in Peru? Where is it located?

Nuestros
Restaurantes

In this project, you will use your ideas to set up a restaurant, write the menu, and role-play a dialogue with your customers. You will also visit your classmates' restaurants and order food there. Finally, you will write a restaurant review to summarize your opinions of all the restaurants.

PASO 1 Decide el tipo de restaurante y la comida

- With a group, decide what type of restaurant you will have and what food you will serve. These questions will help you.

  –¿Qué tipos de restaurantes conoces?

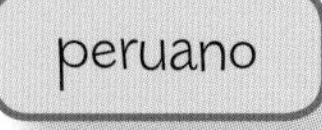

italiano

comida rápida

  –¿Cuál prefiere tu grupo?
  –¿Qué comidas vas a ofrecer: el desayuno, el almuerzo, la cena?
  –Escribe una lista de los platos, bebidas y postres para cada comida.

PASO 2 Prepara el menú

- Classify the foods on your list. You can use these criteria or others:
  –Tipo de alimento: frutas, verduras, carnes.
  –Desayuno, almuerzo, cena.
  –Saludables para gente con dietas especiales.
- Find photos to illustrate each dish you will serve.
- Write a brief description of each dish. Include some information from this list:
  –nombre del plato
  –forma de preparación
  –sabores
  –ingredientes
  –precio
  –...

Deliciosas papas con queso

Papas asadas con una salsa de queso peruano.
11 soles

PASO 3 Exposición de cartas y dramatización

- Display all the menus. Then visit another restaurant.
- Use their menu to order food and drinks from the server. Ask questions to find out what characteristics each food or drink has.

Modelo A. *¿Qué quiere beber?*
B. *Un jugo de maracuyá. Es dulce, ¿verdad?*
C. *Sí. Es dulce. ¿Lo quiere frío?*

PASO 4 Escribe una crítica

- Take notes on each restaurant you visit. Use these criteria to guide your note taking:

Nombre y tipo de restaurante	Tip y Tap. Chifa
Especialidades	carnes
Precios: ¿caro? ¿normal? ¿barato?	
El servicio: ¿malo? ¿regular? ¿bueno? ¿excepcional?	
Los meseros: ¿simpáticos? ¿antipáticos?	

- Write a review of one restaurant, using your notes.

Modelo

*El restaurante Tip y Tap es una chifa.
Las especialidades son las carnes
y el arroz. La comida no es cara.
El servicio es bastante bueno.
Los meseros son simpáticos y amables.*

Unidad 4

Autoevaluación

¿Qué has aprendido en esta unidad?

Do these activities to evaluate how well you can manage in Spanish.

Evaluate your skills. For each item, say Very well, Well, or I need more practice.

a. Can you talk about your food preferences?

▶ Ask your partner what he or she prefers for lunch or dinner.

▶ Say what you have for breakfast and how much you like each food.

▶ Ask your partner how he or she likes three foods: refer to the taste and/or the temperature.

b. Can you say where to buy food?

▶ Tell your partner in which stores you can buy fruit, bread, and meat.

c. Can you explain how to prepare a dish?

▶ Say how you prepare a dish you know. Use words like *cortar*, *mezclar*, and *probar*.

▶ Draw a picture of the table setting you need to eat your lunch. Say where each item goes: *Pones el tenedor a la izquierda.*

d. Can you talk about Peruvian restaurants?

▶ Name three Peruvian cities and say one dish that restaurants serve there.

Nouns and articles

Gender of nouns

In Spanish all nouns are **masculine** or **feminine**. Most nouns that end in -o are masculine, and most nouns that end in -a are feminine. Nouns that end in -e or in a consonant can be either masculine or feminine.

Nouns that refer to people have a masculine and a feminine form. The feminine is usually formed by changing the -o of the masculine form to an -a, or by adding an -a.

Masculine form	Feminine form	Examples
Ends in *-o*.	Changes *-o* to *-a*.	el niño → la niña
Ends in a consonant.	Adds *-a*.	el profesor → la profesora

Plural of nouns

Nouns can be **singular** (one person or thing) or **plural** (more than one person or thing). To form the plural, add -s to the singular form if the noun ends in a vowel. If it ends in a consonant, add -es.

Singular form	Plural form	Examples
Ends in a vowel.	Adds *-s*.	el edificio → los edificios
Ends in a consonant.	Adds *-es*.	el ascensor → los ascensores

Definite articles

Definite articles refer to a specific noun. In English the definite article has only one form: the. In Spanish there are four forms: el, la, los, and las.

	Masculine	Feminine
Singular	el	la
Plural	los	las

Indefinite articles

Indefinite articles refer to a nonspecific noun. In Spanish, like the definite article, there are four forms: **un**, **una** (*a* or *an*) and **unos**, **unas** (*some* or *a few*).

	Masculine	Feminine
Singular	un	una
Plural	unos	unas

Contractions

The combination of the prepositions **a** and **de** with the definite article **el** results in a contraction.

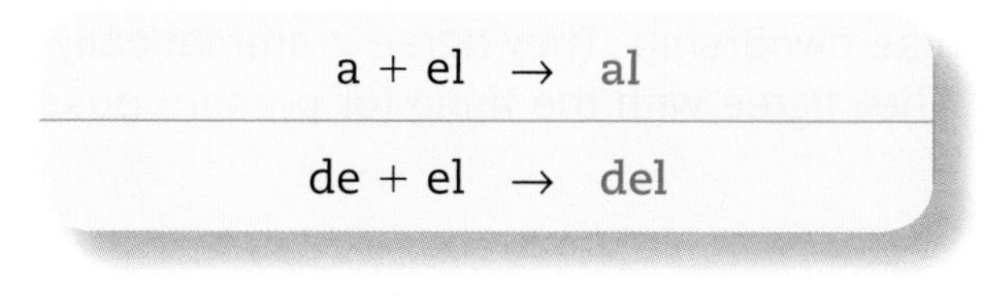

a + el → al
de + el → del

Adjectives

Agreement with nouns

Adjectives describe nouns. Spanish adjectives can be masculine or feminine, singular or plural. They must agree with the noun both in gender and in number.

GENDER

Masculine form	Feminine form	Examples
Ends in *-o*.	Changes *-o* to *-a*.	niño simpático → niña simpática
Ends in *-e* or in a consonant.	Does not change.	niño inteligente → niña inteligente

NUMBER

Singular form	Plural form	Examples
Ends in a vowel.	Adds *-s*.	amigo simpático → amigos simpáticos
Ends in a consonant.	Adds *-es*.	amigo joven → amigos jóvenes

Demonstrative adjectives

Demonstrative adjectives indicate where something or someone is located in relation to the person speaking.

	Singular		Plural	
Distance from speaker	Masculine	Feminine	Masculine	Feminine
Near	este	esta	estos	estas
At a distance	ese	esa	esos	esas
Far away	aquel	aquella	aquellos	aquellas

Possessive adjectives

Possessive adjectives express ownership. They agree grammatically with the noun they accompany. They agree with the thing (or person) possessed, not with the owner.

mi mis	*my*	nuestro, nuestra nuestros, nuestras	*our*
tu tus	*your (informal)*	vuestro, vuestra vuestros, vuestras	*your (informal)*
su sus	*his, her, your*	su, sus	*their, your*

Comparatives

Comparisons of inequality and equality

To express a difference regarding one charasteristic, use más... que (*more ... than*) or menos... que (*less ... than*). To express equality, use tan... como (*as ... as*).

más + adjetivo + que
menos + adjetivo + que
tan + adjetivo + como

Comparative adjectives

Mejor and **peor** are used just like the English words *better* and *worse* to indicate a comparative degree.

bueno *good*	→	mejor, mejores *better*
malo *bad*	→	peor, peores *worse*

Pronouns

Subject pronouns

Subject pronouns identify the person who is performing an action.

Singular		Plural	
yo	*I*	nosotros nosotras	*we*
tú	*you (informal)*	vosotros vosotras	*you (informal)*
usted él ella	*you (formal)* *he* *she*	ustedes ellos ellas	*you* *they* *they*

Direct object pronouns

A pronoun can take the place of a direct object that has already been mentioned to avoid repeating the entire complement.

Singular		Plural	
Masculine	Feminine	Masculine	Feminine
lo	la	los	las
him, it	*her, it*	*them*	*them*

Indirect object pronouns

An indirect object pronoun takes the place of an indirect object that has already been mentioned to avoid repeating the entire complement.

Indirect object pronouns are the same as those used with the verb gustar.

Singular		Plural	
me	*to me*	nos	*to us*
te	*to you (informal)*	os	*to you (informal)*
le	*to him, to her, to you (formal)*	les	*to them, to you*

Adverbs and prepositions

Adverbs of frequency

These adverbs and adverbial phrases express how often something is done:

nunca	*never*	muchas veces	*usually, normally*
casi nunca	*almost never*	casi siempre	*many times, often*
rara vez	*seldom, rarely*	siempre	*always*
a veces	*sometimes*	todos los días	*every day*

Adverbs of quantity

These adverbs express a quantity:

nada	poco	bastante	mucho
not at all	*little, not much*	*quite, enough*	*a lot, much*

Adverbs, prepositions, and phrases of location

These words and phrases are used to show location:

aquí	*here*	encima de	*on, on top of*
ahí	*there*	debajo de	*under*
allí	*over there*	delante de	*in front of*
en	*at, in, on, inside*	detrás de	*behind*
al lado de	*next to*	cerca de	*near, close to*
a la derecha de	*to the right of*	lejos de	*far from*
a la izquierda de	*to the left of*		

Prepositions

a	*to* (after the verb *ir* indicating destination) *(not translated in English before direct and indirect objects)*
de	*from* (to express origin) *of* (to express possession)

Interrogatives

Interrogative words

Interrogatives are question words.

¿Qué	¿Quién? ¿Quiénes?	¿Cómo?	¿Cuándo?	¿Dónde?	¿Cuánto? ¿Cuánta? ¿Cuántos? ¿Cuántas?	¿Por qué?
What?	*Who?*	*How?* *What?*	*When?*	*Where?*	*How much?* *How many?*	*Why?*

Verbs: present tense

Regular verbs: *lavar*, *prender*, *abrir*

Lavar *(to wash)*			
Singular		Plural	
yo	**lav**o	nosotros nosotras	**lav**amos
tú	**lav**as	vosotros vosotras	**lav**áis
usted él ella	**lav**a	ustedes ellos ellas	**lav**an

Prender *(to switch on)*			
Singular		Plural	
yo	**prend**o	nosotros nosotras	**prend**emos
tú	**prend**es	vosotros vosotras	**prend**éis
usted él ella	**prend**e	ustedes ellos ellas	**prend**en

Abrir *(to open)*			
Singular		**Plural**	
yo	abro	nosotros nosotras	abrimos
tú	abres	vosotros vosotras	abrís
usted él ella	abre	ustedes ellos ellas	abren

Irregular verbs: *ser, estar, tener, ir*

Ser *(to be)*			
Singular		**Plural**	
yo	soy	nosotros nosotras	somos
tú	eres	vosotros vosotras	sois
usted él ella	es	ustedes ellos ellas	son

Estar *(to be)*			
Singular		**Plural**	
yo	estoy	nosotros nosotras	estamos
tú	estás	vosotros vosotras	estáis
usted él ella	está	ustedes ellos ellas	están

Tener *(to have)*			
Singular		**Plural**	
yo	tengo	nosotros nosotras	tenemos
tú	tienes	vosotros vosotras	tenéis
usted él ella	tiene	ustedes ellos ellas	tienen

Ir *(to go)*			
Singular		**Plural**	
yo	voy	nosotros nosotras	vamos
tú	vas	vosotros vosotras	vais
usted él ella	va	ustedes ellos ellas	van

The verb *gustar*

Gustar ***(to like)***			
	Singular	Plural	
(A mí)	me **gust**a	me **gust**an	*I like*
(A ti)	te **gust**a	te **gust**an	*you like*
(A usted) (A él) (A ella)	le **gust**a	le **gust**an	*you like* *he likes* *she likes*
(A nosotros) (A nosotras)	nos **gust**a	nos **gust**an	*we like*
(A vosotros) (A vosotras)	os **gust**a	os **gust**an	*you like*
(A ustedes) (A ellos) (A ellas)	les **gust**a	les **gust**an	*you like* *they like* *they like*

Stem-changing verbs

Cerrar *(e > ie)* ***(to close)***			
Singular		Plural	
yo	**cierro**	nosotros nosotras	**cerramos**
tú	**cierras**	vosotros vosotras	**cerráis**
usted él ella	**cierra**	ustedes ellos ellas	**cierran**

Other stem-changing verbs like cerrar are:

empezar *(to begin)* → yo empiezo

entender *(to understand)* → yo entiendo

pensar *(to think)* → yo pienso

preferir *(to prefer)* → yo prefiero

querer *(to want)* → yo quiero

Poder (o > ue) (to be able to)			
Singular		**Plural**	
yo	**puedo**	nosotros nosotras	**podemos**
tú	**puedes**	vosotros vosotras	**podéis**
usted él ella	**puede**	ustedes ellos ellas	**pueden**

Other stem-changing verbs like poder are:

contar *(to count)* → yo cuento

recordar *(to remember)* → yo recuerdo

volar *(to fly)* → yo vuelo

volver *(to come back)* → yo vuelvo

Pedir (e > i) (to ask)			
Singular		**Plural**	
yo	**pido**	nosotros nosotras	**pedimos**
tú	**pides**	vosotros vosotras	**pedís**
usted él ella	**pide**	ustedes ellos ellas	**piden**

Other stem-changing verbs like pedir are:

competir *(to compete)* → yo compito

medir *(to measure)* → yo mido

repetir *(to repeat)* → yo repito

servir *(to serve)* → yo sirvo

Verbs with irregular *yo* forms

Hacer (to do, to make)			
Singular		**Plural**	
yo	hago	nosotros nosotras	**hacemos**
tú	**haces**	vosotros vosotras	**hacéis**
usted él ella	**hace**	ustedes ellos ellas	**hacen**

Poner (to put)			
Singular		**Plural**	
yo	pongo	nosotros nosotras	**ponemos**
tú	**pones**	vosotros vosotras	**ponéis**
usted él ella	**pone**	ustedes ellos ellas	**ponen**

Traer *(to bring)*

Singular		Plural	
yo	traigo	nosotros nosotras	**traemos**
tú	**traes**	vosotros vosotras	**traéis**
usted él ella	**trae**	ustedes ellos ellas	**traen**

Salir *(to leave)*

Singular		Plural	
yo	salgo	nosotros nosotras	**salimos**
tú	**sales**	vosotros vosotras	**salís**
usted él ella	**sale**	ustedes ellos ellas	**salen**

Other irregular verbs in the first person are:

conocer *(to know)* → yo **conozco**

saber *(to know)* → yo **sé**

ver *(to see)* → yo **veo**

Expressions of obligation

hay que + infinitive
a general obligation; rules or norms

tener que + infinitive
a personal obligation

A

a *to* 32 *away from* 198
A la(s)... *At ... (time)* 17
a la derecha *to the right of* 110
a la izquierda *to the left of* 110
¿A qué hora abre...? *What time does ... open?* 152
¿A qué hora cierra...? *What time does ... close?* 152
a veces *sometimes* 128
abierto(a) *open* 156
abril *April* 14
abrir *to open* 118
abrir la ventana *to open the window* 116
la **abuela** *grandmother* 56
el **abuelo** *grandfather* 56
los **abuelos** *grandparents, grandfathers* 56
aburrido(a) *bored* 66
la **acción** *action* 116
el **aceite** *oil* 228
aceptar *to accept* 185
acompañar *to accompany* 212
la **actividad** *activity* 125
las **actividades de ocio** *leisure activities* 126
el **actor** *actor* 147
la **actriz** *actress* 49
actuar *to perform* 65
además *what's more* 140
Adiós *Goodbye* 6
la **adivinanza** *riddle* 225
adivinar *to guess* 96
los **adjetivos** *adjectives* 50
el/la **admirador(a)** *admirer* 47
admirar *to admire* 37
¿Adónde? *Where to?* 160
adorable *adorable* 59
adulto(a) *adult* 55
los **adverbios de cantidad** *adverbs of quantity* 216
los **adverbios de frecuencia** *adverbs of frequency* 128
aéreo(a) *aerial* 140
afortunadamente *fortunately* 52
la **agenda** *agenda* 162
agosto *August* 14
agridulce *sweet-and-sour* 241
agrio(a) *sour* 242
el **agua** *water* 214
¡Ah! *Oh!* 62
ahí *there* 110
ahora *now* 5
aislar *to isolate* 213
el **ajo** *garlic* 228
al *to the* 60
al final *at the end* 230
al lado de *next to* 110
al llegar *upon arriving* 75
el **alfabeto** *alphabet* 2
algo *something* 16
el **algodón** *cotton* 174
alguien *anybody, anyone* 66
los **alimentos** *food* 224
allí *over there* 110
almorzar *to have lunch* 214
el **almuerzo** *lunch* 214
alto(a) *tall* 48
la **altura** *height* 81
amable *kind* 249
amargo(a) *bitter* 242
amarillo(a) *yellow* 174
el **Amazonas** *Amazon River* 212
amazónico(a) *Amazon (adjective)* 213
ambiental *environmental* 227
América del Sur *South America* 252
americano(a) *American* 185
el/la **amigo(a)** *friend* 38
los **amigos** *friends (males, males and females)* 38
el **análisis** *analysis* 26
anaranjado(a) *orange* 174
ancho(a) *wide* 174
los **Andes** *the Andes* 233
el **ángel** *angel* 77
el **animal** *animal* 111
anterior *earlier* 80
antes *before* 71
antiguo(a) *ancient* 78 *old* 140
antipático(a) *unfriendly* 48
el **anuncio** *ad* 97
añadir *to add* 255
el **año** *year* 14
apagar la luz *to turn off the light* 116
el **apartamento** *apartment* 96
el **apoyo** *support* 57
aprender *to learn* 20
apropiado(a) *appropriate* 181
aquel, aquella *that (far)* 176
aquellos, aquellas *those (far)* 176
aquí *here* 110
el **archipiélago** *archipelago* 136
el **argumento** *plot* 25
el **armario** *closet* 106
arqueológico *archeological* 80
arrancar *to pull out* 78
el **arroz** *rice* 214
el **arroz chaufa** *popular Peruvian-Chinese rice dish served in chifas* 241
Arte *art (subject)* 16
el **arte** *art* 47
artesanal *handmade* 165
la **artesanía** *handicraft* 165
el **artículo** *item* 188
los **artículos definidos** *definite articles* 100
los **artículos indefinidos** *indefinite articles* 100
el/la **artista** *artist* 46
asado(a) *roasted* 233
el **asalto** *assault* 140
el **ascensor** *elevator* 96
así *like that* 154
así así *so-so* 66
asociación *association* 83
asociado(a) *associated* 136
el **asopao** *rice soup from Puerto Rico* 119
el **aspecto** *aspect* 47
el **asunto** *matter* 72
el **ataque** *attack* 140
¡Atención! *Be careful! Watch out!* 92
la **atención** *service* 249
atlético(a) *athletic* 48
atrevido(a) *daring* 48
el **autobús** *bus* 47
la **autoevaluación** *self-evaluation* 87
el **autorretrato** *self-portrait* 47
avanzado(a) *advanced* 80
el **ave** *bird* 196
la **avenida** *avenue* 80
el **avión** *airplane* 213
ayudar *to help* 57
azteca *Aztec: relating to ethnic groups that dominated central Mexico in the 14th, 15th, and 16th centuries* 30
el **azúcar** *sugar* 232
azul *blue* 174

B

las **bacterias** *bacteria* 123
la **bahía** *bay* 89
el **baile** *dance* 55

bajo(a) *short* 48 *low (price)* 183
la **banana** *banana* 214
la **bandera** *flag* 8
el **banquete** *banquet* 55
bañar *to bathe* 137
la **bañera** *bathtub* 106
el **baño** *bathroom* 96
barato(a) *cheap, inexpensive* 184
el **barco** *ship* 95
barrer *to sweep* 116
el **barrio** *neighborhood* 187
bastante *quite, enough* 216
la **basura** *trash* 116
beber *to drink* 232
las **bebidas** *drinks* 214
el **beso** *kiss* 198
bien *well* 66
Bienvenido(a) *Welcome* 4
bioluminiscente *bioluminescent* 89
la **bitácora** *log* 52
blanco(a) *white* 174
la **blusa** *blouse* 166
el **bohío** *typical shack used as a home by the Taino indians in Puerto Rico* 133
el **bolígrafo** *pen* 8
la **bolsa** *bag* 227
bonito(a) *beautiful, pretty* 48
el **bordado** *embroidery* 198
el **borrador** *eraser* 8
el **bosque** *forest* 111
botar *to throw away* 227
las **botas** *boots* 166
la **botella** *bottle* 232
¡Buen provecho! *Enjoy your meal!* 210
Buenas noches *Good evening/ night* 5
Buenas tardes *Good afternoon* 5
bueno(a) *good* 178
Buenos días *Good morning* 5
la **bufanda** *scarf* 166
buscar *to look for* 86

el **caballo** *horse* 78
el **cacique** *chief, local political boss* 133
cada *each* 65
la **cadena** *chain* 51
el **café** *coffee* 208
la **calabaza** *gourd, pumpkin* 219
los **calcetines** *socks* 166
el **calendario** *calendar* 14
la **calidad** *quality* 222
caliente *hot (temperature)* 242
la **calle** *street* 94
la **calzada** *avenue* 80
el **calzado** *footwear* 166
la **cama** *bed* 106
la **cámara** *camera* 124
cambiar *to change* 235
la **camisa** *shirt* 166
la **camiseta** *T-shirt* 166
canadiense *Canadian* 26
el **canal** *canal* 195
la **cancha** *cereal similar to popcorn in Peru* 215
la **canela** *cinnamon* 255
el **caney** *shack where a Tainos' "cacique" or local political boss lives* 133
la **canoa** *canoe* 134
cansado(a) *tired* 66
el/la **cantante** *singer* 197
el **canto** *singing* 256
el **cañón** *cannon* 140
la **capital** *capital city* 76
la **cara** *face* 69
la **característica** *feature* 48
la **carne** *meat* 214
la **carnicería** *butcher's shop* 224
caro(a) *expensive* 184
el **carro** *car* 107
la **carta** *letter* 132 *menu* 232
el **cartel** *poster* 8
la **casa** *house* 96
casi nunca *almost never* 128
casi siempre *most of the time* 128
el **caso** *case* 179
el **castillo** *castle* 140
la **categoría** *category* 166
causar *to cause* 227
la **cebolla** *onion* 229
la **celebración** *celebration* 233
celebrar *to celebrate* 55
la **cena** *dinner* 214
cenar *to have dinner* 214
central *central* 155
el **centro** *center, middle* 76
el **centro comercial** *shopping center, mall* 156
Centroamérica *Central America* 148
la **cerámica** *ceramics* 182
cerca de *near, close to* 110
la **ceremonia** *ceremony* 55
cerrado(a) *closed* 156
cerrar (e > ie) *to close* 158
el **césped** *grass* 116
el **ceviche** *marinated seafood dish popular in South America* 207
Chao *Bye* 6
la **chaqueta** *jacket* 166
el/la **chef** *chef* 244
la **chica** *girl* 38
el **chico** *boy* 38
los **chicos** *boys, boys and girls* 38
la **chicha morada** *old and popular Peruvian drink* 255
las **chifas** *restaurants of Chinese origin typical in Peru* 241
chino(a) *Chinese* 241
el **chocolate** *chocolate* 2
Ciencias Naturales *science* 16
Ciencias Sociales *social studies* 16
el/la **científico(a)** *scientist* 243
cierto(a) *true* 48
el **cilantro** *cilantro* 228
la **cinta** *ribbon* 198
el **cinturón** *belt* 198
circular *circular* 133
la **ciudad** *city* 32
el/la **ciudadano(a)** *citizen* 136
civil *civil* 80
la **civilización** *civilization* 80
claro *of course* 12
claro(a) *clear* 81
la **clase** *class* 16
clásico(a) *classic* 231
la **clave** *key* 141
el **clavo** *clove* 255
el/la **cliente(a)** *customer* 156
el **clima** *climate* 99
la **cocina** *kitchen* 96
cocinar *to cook* 224
el **cognado** *cognate* 25
coincidir *to coincide* 256
coleccionar *to collect* 73
el **colegio** *school* 25
el **color** *color* 174
colorido(a) *colorful* 94
combinar *to combine* 241
el **comedor** *dining room* 96
comenzar (e > ie) *to begin* 256

D

el **domingo** *Sunday* 14
los **domingos** *on Sundays* 156
donar *to donate* 73
¿Dónde? *Where?* 13
el **dormitorio** *bedroom* 96
el **drama** *drama* 25
la **dramatización** *dramatization* 263
dramatizar *to dramatize* 205
la **ducha** *shower* 106
dulce *sweet* 242
durante *during* 71 *for* 76

E

ecológico(a) *ecological* 115
el **ecosistema** *ecosystem* 252
la **edad** *age* 58
el **edificio** *building* 96
Educación Física *physical education* 16
el *the* 100
él *he* 40
elegante *elegant* 243
ella *she* 40
ellas *they (females)* 40
ellos *they (males, males and females)* 40
emigrar *to emigrate* 241
la **emoción** *emotion* 68
emocionado(a) *excited* 66
el **emperador** *emperor* 257
empezar (e > ie) *to begin, to start* 158
en *at, in, on, inside* 110
Encantado(a) *Nice to meet you* 4
encima de *on, on top of* 110
encontrar (o > ue) *to find* 101
el **encuentro** *meeting, encounter* 74
la **encuesta** *survey* 229
enérgico(a) *energetic* 52
enero *January* 14
enfermo(a) *sick* 66
el **enigma** *enigma* 114
enojado(a) *angry* 66
enorme *huge* I98
la **ensalada** *salad* 224
entender (e > ie) *to understand* 158
entrar *to enter* 124
entre *between* 241
entregar *to hand out* 10
entrevistar *to interview* 62
entusiasta *enthusiastic* 36
era *he/she/it was* 157
Es la... *It's ... (time)* 16
Es saludable *It's healthy* 210
la **escalera** *stairs* 96
la **escena** *scene* 162
la **esclusa** *lock* 195
escolar *school (adjective)* 191
escribir *to write* 2
el/la **escritor(a)** *writer* 26
escuchar *to listen* 72
la **escuela** *school* 44
ese, esa *that (nearby)* 176
la **esencia** *essence* 248
esos, esas *those (nearby)* 176
los **espaguetis** *spaghetti* 3
el **Español** *Spanish (subject)* 16
español(a) *Spanish* 2
especial *special* 239
la **especialidad** *specialty* 225
especializado(a) *specialized* 225
la **especie** *sort* 167
espontáneo(a) *spontaneous* 48
la **esposa** *wife* 73
esquiar *to ski* 3
Está bueno(a) *It tastes good* 242
Está delicioso(a) *It's delicious* 242
Está malo(a) *It doesn't taste good* 242
Está nublado *It's cloudy* 18
la **estabilidad** *stability* 95
la **estación** *season* 18
el **estadio** *stadium* 30
el **estado** *state* 51 *condition* 64
los **Estados Unidos** *United States* 111
estadounidense *American (adjective)* 136
la **estantería** *bookcase* 106
estar *to be* 68
estar de acuerdo *to agree* 177
estar de moda *to be in fashion* 152
estar en oferta *to be on sale* 152
estar listo(a) *to be ready* 208
estarán *they will be* 175
el **este** *east* 76
este, esta *this* 176
Este(a) es... *This is ...* 34
estos, estas *these* 176
la **estrategia** *strategy* 81
estrecho(a) *tight* 174, *narrow* 194
el/la **estudiante** *student* 8
los **estudiantes** *students (males, males and females)* 43
estudiar *to study* 12
estudioso(a) *studious* 48
la **estufa** *stove* 106
evaporar *to evaporate* 248
el **evento** *event* 79
examinar *to examine* 81
excelente *excellent* 66
excepcional *exceptional* 263
la **existencia** *existence* 104
experto(a) *expert* 47
la **explanada** *esplanade* 256
el/la **explorador(a)** *explorer* 107
la **exposición** *exhibition* 204
expresar *to express* 218
la **expresión** *expression* 34
las **expresiones de lugar** *expressions to indicate location* 110
expresivo(a) *expressive* 69
extraño(a) *rare* 57

F

la **falda** *skirt* 166
las **Fallas** *traditional Valencian celebrations* 21
falso(a) *false* 26
la **familia** *family* 56
familiar *family (adjective)* 54
los **familiares** *relatives* 55
famoso(a) *famous* 49
el/la **fan** *fan* 35
fantástico(a) *fantastic* 36
el **faro** *lighthouse* 137
fascinante *fascinating* 198
favorito(a) *favorite* 53
febrero *February* 14
la **fecha** *date* 14
femenino(a) *feminine* 98
fenomenal *phenomenal* 52
feo(a) *ugly* 48
la **festividad** *festivity* 256
la **fiesta** *holiday* 15 *fiesta, festival* 21 *party* 31 *festivity* 233
la **figura** *figure* 47
el **fin de semana** *weekend* 128
el **final** *end* 45
finalmente *finally* 255
físico(a) *physical* 48
la **flauta** *flute* 65
la **forma** *form* 108 *shape* 133
formal *formal* 237

G

H

I

J

el **jardín** *yard* 96
joven *young* 48
el **juego** *game* 9
el **jueves** *Thursday* 14
los **jueves** *on Thursdays* 183
el **jugo** *juice* 214
julio *July* 14
junio *June* 14
juntos(as) *together* 119

K

el **kilo** *kilo, kilogram* 228
el **kilómetro** *kilometer* 76

L

la, las *the* 100
la, las *her, it/them* 226
el **laberinto** *labyrinth* 140
el **lado** *side* 80
el **ladrillo** *brick* 146
el **lago** *lake* 195
la **lámpara** *lamp* 132
la **lana** *wool* 174
el **lápiz** *pencil* 8
largo(a) *long* 174
Latinoamérica *Latin America* 215
el **lavabo** *sink* 106
el **lavaplatos** *dishwasher* 106
lavar *to wash* 118
le, les *(to) him, her, you (formal)/ (to) them, you (plural)* 236
la **leche** *milk* 214
la **leche condensada** *condensed milk* 248
la **lectura** *reading* 80
leer *to read* 72
lejos de *far from* 110
la **lengua** *language* 169 *tongue* 243
la **letra** *letter* 2
libre *free* 136
el **libro** *book* 8
ligero(a) *light* 231
la **lima** *lime* 230
limeño(a) *from Lima* 240
limitar *to border* 194
el **limón** *lemon* 228
la **limonada** *lemonade* 238
limpiar *to clean* 116
limpiar la mesa *to clear the table* 232
limpio(a) *clean* 232
lindo(a) *lovely, cute* 164
la **linterna** *flashlight* 124
liso(a) *straight* 199
la **lista** *list* 215
llamar *to call* 2
la **llave** *key* 2
la **llegada** *arrival* 32
llegar *to arrive* 75
lleno(a) *full* 252
llevar *to bring* 124 *to wear* 151 *to contain* 220
Llueve *It's raining* 18
lo, los *him, it/them* 226
Lo siento *I'm sorry* 92
lógico(a) *logical* 127
los *the* 100
la **lucha** *struggle* 196
el **lugar** *place, location* 80
la **luna** *moon* 80
el **lunes** *Monday* 14
los **lunes** *on Mondays* 161
la **luz** *light* 114

M

la **madre** *mother* 38
magnífico(a) *magnificent* 80
el **maíz** *corn* 214
mal *badly* 66
malo(a) *bad* 178
la **mamá** *mom, mommy* 38
la **manera** *manner, way* 173
el **maniquí** *mannequin* 164
la **mano** *hand* 235
la **mansión** *mansion* 107
el **mantel** *tablecloth* 232
la **mantequilla** *butter* 214
la **manzana** *apple* 214
mañana *tomorrow* 2
la **mañana** *morning* 239
el **mapa** *map* 8
el/la **mar** *sea* 136
el **maracuyá** *passion fruit* 214
la **marimba** *marimba* 197
el **martes** *Tuesday* 14
los **martes** *on Tuesdays* 161
marzo *March* 14
más *more* 175
más... que *more ... than* 178
el/la **más** *the most* 36
la **máscara** *mask* 154
la **mascota** *pet* 56
masculino(a) *masculine* 98
Matemáticas *mathematics* 16
el **material escolar** *school supplies* 9
los **materiales** *materials* 174
maya *Mayan: relating to the native American people of southern Mexico and northern Central America* 154
mayo *May* 14
mayor *old* 48 *bigger* 76
el/la **mayor** *biggest* 115
mayor que *bigger than* 76
me *to me* 236
Me llamo... *My name is ...* 4
Me queda bien *It fits well* 184
Me queda grande *It's too big* 184
Me queda mal *It doesn't fit well* 184
Me queda pequeño *It's too small* 184
mecánico(a) *mechanical* 62
medio(a) *average* 256
medir (e > i) *to measure* 244
mejor *better* 178
el/la **mejor** *the best* 222
el **membrillo** *a type of fruit paste* 255
menos cuarto *a quarter to (time)* 16
menos... que *less ... than* 178
el **mensaje** *message* 39
la **mensajería instantánea** *instant messaging* 62
el **mercado** *market* 149
el **mes** *month* 14
la **mesa** *table* 106
el/la **mesero(a)** *server* 232
la **mesita de noche** *nightstand* 106
el **metro** *meter* 97
el **metro cuadrado** *square meter* 97
mexicano(a) *Mexican* 36
mezclar *to mix* 224
mi, mis *my* 60
el **microondas** *microwave* 106
el/la **miembro** *member* 37
el **miércoles** *Wednesday* 14
miles *thousands* 256
la **milla** *mile* 80
el **millón** *million* 76
el **minuto** *minute* 187
¡Mira! *Look!* 92
la **mira** *aim* 78
mirar vitrinas *to window-shop* 156
mismo(a) *same* 57
misterioso(a) *mysterious* 80

la **mochila** *backpack* 8
la **moda** *fashion* 148
los **modales** *manners* 235
moderno(a) *modern* 155
el **modo** *way; manner* 255
la **moneda** *currency* 185
el **monitor** *monitor* 25
montañoso(a) *mountainous* 77
el **monumento** *monument* 100
morado(a) *purple* 174
moreno(a) *brunet(te)* 48
muchas veces *usually, normally* 128
mucho(a) *a lot, much* 216
Mucho gusto *It's a pleasure* 4
muchos(as) *many* 63
mudo(a) *silent* 3
los **muebles** *furniture* 106
el/la **muerto(a)** *dead person* 80
la **mujer** *woman* 38
multicolor *multicolored* 26
multicultural *multicultural* 26
multigeneracional *multigenerational* 57
multimillonario(a) *multimillionaire* 26
el **mundo** *world* 49
el/la **muñeco(a)** *doll* 175
el **mural** *mural* 86
el **museo** *museum* 47
Música *music (subject)* 16
la **música** *music* 25
el/la **músico(a)** *musician* 197
muy *very* 37
muy bien *very well* 66
muy mal *very badly* 66

N

nacional *national* 111
nada *not at all* 216
la **naranja** *orange* 214
natural *natural* 195
la **naturaleza** *nature* 252
la **Navidad** *Christmas* 233
necesario(a) *necessary* 57
la **necesidad** *need* 222
negro(a) *black* 174
nervioso(a) *nervous* 66
nicaragüense *Nicaraguan* 26
la **nieta** *granddaughter* 56
el **nieto** *grandson* 56
Nieva *It's snowing* 18
la **niña** *girl* 38
el **niño** *boy* 38
no *no* 7
No, gracias *No, thank you* 9
la **noche** *night* 239
los **nombres** *nouns* 98
nominado(a) *nominated* 49
el **noreste** *northeast* 80
normal *normal* 263
el **norte** *north* 76
nos *(to) us* 236
nosotros(as) *we* 40
la **nota** *note* 131
la **novia** *girlfriend* 38
noviembre *November* 14
el **novio** *boyfriend* 38
los **novios** *couple* 38
el **núcleo** *nucleus* 194
nuestro(a) *our* 60
nuevo(a) *new* 61
el **número** *number* 98
nunca *never* 128

O

o *or* 26
la **obligación** *obligation* 161
las **obligaciones** *duties* 129
el **objeto** *object* 106
la **obra** *artwork* 47
observar *to observe* 51
occidental *western* 252
el **océano** *ocean* 136
octubre *October* 14
ocupado(a) *busy* 118
el **oeste** *west* 76
la **oferta** *bargain* 222
oficial *official* 185
la **oficina** *office* 161
ofrecer *to offer* 140
la **opinión** *opinion* 173
ordenar *to straighten up* 116
el **organismo** *organism* 115
el **origen** *origin* 173
original *original* 93
os *(to) you (plural, informal)* 236
el **otoño** *autumn* 18
otro(a) *other* 6

el **padre** *father* 38
los **padres** *parents* 38
la **paella** *traditional rice dish from Spain* 119
pagar *to pay* 182
pagar en metálico *to pay cash* 183
el **paiche** *South American tropical freshwater fish* 206
el **país** *country* 76
el **paisaje** *scenery* 77
el **pájaro** *bird* 185
la **palabra** *word* 2
el **palacio** *palace* 80
las **palomitas** *popcorn* 215
el **pan** *bread* 214
la **panadería** *bakery* 224
los **pantalones** *pants* 166
los **pantalones cortos** *shorts* 166
el **papá** *dad* 38
la **papa** *potato* 214
los **papás** *parents (familiar)* 38
el **papel** *paper* 8
la **papelería** *stationery store* 156
para *for* 20 *in order to* 81 *to* 81
el **paraíso** *paradise* 252
parecer *to seem* 177
la **pared** *wall* 96
el **parque** *park* 25
la **parte** *part* 198
participar *to participate* 256
el **pasaje** *passage* 140
pasar *to happen* 45 *to pass by, to go through* 213
pasar la aspiradora *to vacuum* 116
pasear *to stroll* 116
el **paseo** *walk* 80
la **paz** *peace* 196
pedir (e > i) *to ask for* 244
la **película** *movie* 49
pelirrojo(a) *red-haired* 48
pensar (e > ie) *to think* 158
peor *worse* 178
pequeño(a) *short* 34 *small* 71
percibir *to perceive* 243
Perdón *Excuse me* 92
perfecto(a) *perfect* 234
pero *but, however* 36
el **perro** *dog* 56
la **persona** *person* 234
la **personalidad** *personality* 48
las **personas** *people* 38
la **perspectiva** *perspective* 177
peruano(a) *Peruvian* 228
la **pesca** *fishing* 245

la **pescadería** *fish market* 224
el **pescado** *fish (as food)* 214
el **pez** *fish (live)* 124
picante *hot (spicy)* 242
el **picnic** *picnic* 127
el **pie** *foot (measure)* 81
la **piedra** *stone* 78
la **pimienta** *pepper* 228
pintar *to paint* 47
el/la **pintor(a)** *painter* 26
la **pintura** *painting* 47
la **piña** *pinneaple* 255
la **pirámide** *pyramid* 80
el/la **pirata** *pirate* 140
la **pista** *clue* 117
la **pizarra** *chalkboard* 10
el **plan** *plan* 127
el **plano** *plan (map)* 81
plano(a) *flat* 100
la **planta** *plant* 111
la **planta baja** *ground floor* 96
el **plástico** *plastic* 227
el **plato** *course, entrée* 119 *dish* 232
el **plato preparado** *ready-cooked meal* 223
el **plato principal** *main course* 214
la **playa** *beach* 77
la **plaza** *square* 51
el **plural** *plural* 98
poblado(a) *populated* 76
poco *little, not much* 216
poder (o > ue) *can, to be able* 186
poderoso(a) *powerful* 80
el/la **policía** *police officer* 41
político(a) *political* 195
el **pollo** *chicken* 214
poner *to put* 234
poner la mesa *to set the table* 232
popular *popular* 37 *folk* 47
por *because* 2 *for* 14 *in* 69 *by* 136
Por ejemplo *For instance* 225
Por favor *Please* 7
¿Por qué? *Why?* 152
porque *because* 132
los **posesivos** *possessives* 60
posible *possible* 123
la **posición** *position* 177
positivo(a) *positive* 57
la **postal** *postcard* 197
el **postre** *dessert* 214
el **precio** *price* 184
el **precio de oferta** *sale price* 188
el **precio sugerido** *suggested price* 188
precioso(a) *beautiful* 44
la **predicción** *prediction* 155
la **preferencia** *preference* 179
preferir (e > ie) *to prefer* 218
la **pregunta** *question* 12
preguntar *to ask* 4
la **prenda** *garment* 167
prender la luz *to turn on the light* 118
la **preocupación** *worry* 175
preparado(a) *ready* 64
preparar *to prepare* 124
la **preposición** *preposition* 60
la **presentación** *introduction* 4 *presentation* 86
presentarse *to introduce oneself* 44
el **presente** *present tense* 118
presidir *to preside* 256
prestado(a) *borrowed* 169
la **primavera** *spring* 18
el **primer piso** *first floor* 96
el **primer plato** *appetizer* 214
primero *first of all* 256
primero(a) *first* 234
el/la **primo(a)** *cousin* 56
los **primos** *male cousins, male and female cousins* 56
principal *main* 51
probar *to taste* 224
el **problema** *problem* 175
procedente *coming* 169
la **producción** *production* 26
el **producto** *product* 198
el/la **profesor(a)** *teacher* 8
los **profesores** *teachers (males, males and females)* 41
el **programa** *program* 71
los **pronombres de objeto directo** *direct object pronouns* 226
los **pronombres de objeto indirecto** *indirect object pronouns* 236
los **pronombres personales sujeto** *subject pronouns* 40
la **pronunciación** *pronunciation* 2
propio(a) *own* 47
la **proporción** *proportion* 194
próximo(a) *next* 198
el **proyecto** *project* 86
la **prueba** *test, quiz* 71
el **puerco** *pork* 241
la **puerta** *door* 96
puertorriqueño(a) *Puerto Rican* 136
el **puesto** *stall, stand* 183
el **punto** *point* 247

Q

que *that* 57 *than* 178
¿Qué? *What?* 13
¿Qué día es hoy? *What's today's date?* 15
¿Qué hora es? *What time is it?* 16
¿Qué lleva? *What ingredients does it have?* 210
¿Qué tal...? *How about ...?* 212
¿Qué tal estás/está/están? *How are you doing?* 66
¿Qué tiempo hace? *What's the weather like?* 19
¡Qué...! *How ...!* 164
¡Qué bien! *How great!* 181
¡Qué delicioso(a)! *How delicious!* 210
¡Qué hambre! *I'm starving!* 241
¡Qué rico(a)! *How tasty!* 210
¡Qué romántico! *How romantic!* 240
¡Qué tarea! *What a task!* 222
la **quema** *burning* 197
querer (e > ie) *to want* 218
Querido(a)... *Dear ...* 131
el **queso** *cheese* 262
el **quetzal** *Guatemalan monetary unit* 150
la **quinceañera** *birthday party for a fifteen-year-old girl* 31
¿Quién? *Who?* 13
el **quitapenas** *"worry doll" (traditional Guatemalan doll)* 175

R

la **radio** *radio* 72
la **raíz** *stem* 186
la **rampa** *ramp* 140
la **rana** *frog* 105
rápido(a) *fast* 7
rara vez *seldom, rarely* 128
raro(a) *rare* 125
el **rasgo** *feature* 48
la **razón** *reason* 245
la **realidad** *reality* 47

realizar *to make* 25
realmente *really* 198
la **receta** *recipe* 208
el **rechazo** *rejection* 218
la **recomendación** *recommendation* 157
recordar (o > ue) *to remember* 186
rectangular *rectangular* 133
el **refresco** *refreshment, soda* 214
el **refrigerador** *refrigerator* 106
el **regalo** *present* 245
el **régimen alimenticio** *diet* 262
la **región** *region* 155
la **regla** *rule* 129
regular *average* 263
las **relaciones** *relationships* 54
el **relieve** *relief* 195
religioso(a) *religious* 55
el **reloj** *clock* 8
rentar *to rent* 97
el **repaso** *review* 82
repetir (e > i) *to repeat* 244
la **representación** *performance* 256
representar *to represent* 167 *to perform* 256
la **república** *republic* 76
la **reserva** *reservoir* 115
resolver (o > ue) *to solve* 175
el **restaurante** *restaurant* 223
los **restos** *remains* 252
la **revista** *magazine* 126
rico(a) *tasty* 249
el **río** *river* 76
el **rito** *rite* 256
rodear *to surround* 155
rojo(a) *red* 174
la **ropa** *clothing* 166
rosado(a) *pink* 174
rubio(a) *blond(e)* 48
las **ruinas** *ruins* 196
la **rutina** *routine* 161

S

el **sábado** *Saturday* 14
los **sábados** *on Saturdays* 161
saber *to know, to know how* 234
los **sabores** *flavors* 242
sacar *to take out* 10
el **sacerdote** *priest* 65
sacudir *to dust* 116
sagrado(a) *holy* 157
la **sal** *salt* 232
la **sala** *living room* 96
salado(a) *salty* 242
salir *to go out, to leave* 234
el **salón de clase** *classroom* 8
la **salsa** *salsa (dance)* 139 *sauce* 214
saltar *to jump* 65
la **salud** *health* 219
el **saludo** *greeting* 4
el **sancochado** *traditional Peruvian soup made with vegetables and meat or fish* 208
las **sandalias** *sandals* 166
el **sándwich** *sandwich* 214
el **santuario** *sanctuary* 254
Se llama... *His/her name is ...* 34
seco(a) *dry* 256
el **seco de carne** *beef stew* 206
la **selección** *national team* 37
la **selva** *jungle* 253
la **semana** *week* 65
la **sensación** *sensation, feeling* 66
sentarse (e > ie) *to sit* 10
el **sentido** *sense* 243
el **señor** *Mr.* 33
la **señora** *Mrs.* 40
los **señores** *Mr. and Mrs.* 40
septiembre *September* 14
ser *to be* 42
ser de *to be from* 42
ser de (mi) talla *to be (my) size* 184
serio(a) *serious* 48
la **serpiente** *snake* 198
la **servilleta** *napkin* 232
servir (e > i) *to serve* 244
sí *yes* 7
siempre *always* 128
el **siglo** *century* 140
significar *to mean* 13
la **silla** *chair* 8
simbolizar *to symbolize* 65
el **símbolo** *symbol* 105
similar *similar* 105
simpático(a) *friendly* 48
el **singular** *singular* 40
el **sistema** *system* 125
el **sitio** *site* 252
situar *to locate* 80
sobre *about* 80
la **sobrina** *niece* 56
el **sobrino** *nephew* 56
los **sobrinos** *nephews, nephews and nieces* 56
el **sofá** *sofa* 106
el **sol** *sun* 79 *Peruvian monetary unit* 215
solo *only* 213
el **solsticio** *solstice* 256
el **sombrero** *hat* 166
Son las... *It's ... (time)* 16
el **sonido** *sound* 105
la **sopa** *soup* 214
la **sopa del día** *soup of the day* 238
la **sorpresa** *surprise* 245
Soy... *My name is ...* 34
su, sus *his, her/their; your (formal)* 60
subterráneo(a) *underground* 125
suceder *to take place* 16
el **suceso** *event* 25
sucio(a) *dirty* 232
el **suelo** *floor* 96
el **sueño** *dream* 47
el **suéter** *sweater* 166
la **sugerencia** *suggestion* 246
el **sujeto** *subject* 40
el **supermercado** *supermarket* 224
el **sur** *south* 76
el **suspiro limeño** *traditional Peruvian dessert of vanilla custard* 207

T

la **talla** *size* 184
también *also, as well* 36
tan... como *as ... as* 178
la **tarde** *afternoon, evening* 69
la **tarea** *task* 52 *chore* 57
las **tareas domésticas** *housework* 116
la **tarjeta de crédito** *credit card* 184
la **taza** *cup* 232
el **té** *tea* 7
te *to you (informal)* 236
Te presento a... *Let me introduce ... to you* 4
el **techo** *ceiling* 96
telefónico(a) *telephone (adjective)* 39
el **teléfono** *telephone* 25
el **televisor** *television set* 106
el **tema** *theme* 47
la **temperatura** *temperature* 242
el **templo** *temple* 80
el **tenedor** *fork* 232

tener *to have* 58
tener... años *to be ... old* 58
tener calor *to be hot* 66
tener en oferta *to have on sale* 222
tener frío *to be cold* 66
tener ganas de... *to feel like ...* 126
tener hambre *to be hungry* 66
tener miedo *to be afraid* 66
tener que... *to have to ...* 128
tener razón *to be right* 164
tener sed *to be thirsty* 66
los **tenis** *sneakers* 166
terminar *to end, to finish* 212
el **territorio** *territory* 136
el **textil** *textile* 152
el **texto** *text* 141
la **tía** *aunt* 56
el **tiempo** *weather* 18 *time* 189
la **tienda** *store* 156
la **tierra** *dirt, dust* 133
tímido(a) *timid, shy* 48
el **tío** *uncle* 56
los **tíos** *uncle and aunt, uncles* 56
típico(a) *typical* 119
el **tipo** *kind, type* 133
tocar *to play (an instrument)* 65
todo(a) *entire* 49 *all* 51 *every* 234
todos los días *every day* 128
tomar *to drink* 220
el **tomate** *tomato* 228
la **torre** *tower* 140
la **torta** *cake* 214
la **totora** *plant used to make boats in Peru* 254
la **tradición** *tradition* 255
tradicional *traditional* 119
tradicionalmente *traditionally* 55
el/la **traductor(a)** *translator* 26
traer *to bring* 234
el **traje** *dress* 149
la **transición** *transition* 55
triste *sad* 66
tropical *tropical* 99
tú *you (informal)* 40
tu, tus *your (informal)* 60
el **túnel** *tunnel* 140
el **turismo** *tourism* 124
el/la **turista** *tourist* 51
turístico(a) *tourist (adjective)* 77

U

la **ubicación** *location* 256
un, una *a, an* 100
único(a) *unique* 97 *only* 111
unos, unas *some* 100
urbano(a) *urban* 77
usar *to use* 62
el **uso** *use* 40
usted *you (singular, formal)* 40
ustedes *you (plural)* 40
el **utensilio** *utensil* 183
útil *useful* 34

el **vacío** *space* 65
la **vainilla** *vanilla* 248
valiente *brave* 65
varios(as) *several* 57 *different* 256
el **vaso** *glass* 232
vegetal *vegetal* 219
vegetariano(a) *vegetarian* 221
el/la **vendedor(a)** *salesperson* 156
el/la **vendedor(a) ambulante** *street vendor* 223
vender *to sell* 156
la **ventana** *window* 96
ver *to see, to watch* 234
el **verano** *summer* 18
el **verbo** *verb* 42
verde *green* 174
las **verduras** *vegetables* 214
el **vestido** *dress* 166
vestir *to dress* 173
la **vez** *time* 65
vía *via* 256
el **viaje** *trip* 126
la **victoria** *victory* 39
la **vida** *life* 55
viejo(a) *old* 48
el **viernes** *Friday* 16
el/la **visitante** *visitor* 140
visitar *to visit* 90
la **vista** *view* 2
la **vitrina** *shop window* 173
la **vivienda** *housing* 96
vivir *to live* 57
los/las **voladores(as)** *flying performers* 31
volar (o > ue) *to fly* 186
el **volcán** *volcano* 155
volcánico(a) *volcanic* 77
volver (o > ue) *to come back* 186
vosotros(as) *you (plural, informal)* 40
la **votación** *voting* 35
la **voz** *voice* 52
el **vuelo** *flight* 256
vuestro(a) *your (informal)* 60

Y

y *and* 16
y cuarto *a quarter past (time)* 16
y media *half past (time)* 16
yo *I* 40
Yo soy... *I am ...* 32

Z

la **zapatería** *shoe store* 156
los **zapatos** *shoes* 166
la **zona** *zone* 213

Los números

uno	**1**	**once**	**11**	**veintiuno**	**21**	**cuarenta**	**40**
dos	**2**	**doce**	**12**	**veintidós**	**22**	**cincuenta**	**50**
tres	**3**	**trece**	**13**	**veintitrés**	**23**	**sesenta**	**60**
cuatro	**4**	**catorce**	**14**	**veinticuatro**	**24**	**setenta**	**70**
cinco	**5**	**quince**	**15**	**veinticinco**	**25**	**ochenta**	**80**
seis	**6**	**dieciséis**	**16**	**veintiséis**	**26**	**noventa**	**90**
siete	**7**	**diecisiete**	**17**	**veintisiete**	**27**	**cien**	**100**
ocho	**8**	**dieciocho**	**18**	**veintiocho**	**28**		
nueve	**9**	**diecinueve**	**19**	**veintinueve**	**29**		
diez	**10**	**veinte**	**20**	**treinta**	**30**		

Saludos, presentaciones y despedidas

Hola	*Hello*
Buenos días	*Good morning*
Buenas tardes	*Good afternoon*
Buenas noches	*Good evening/night*
¿Cómo estás?	*How are you?* (informal)
Bienvenido(a)	*Welcome*
Te presento a...	*Let me introduce ... to you*
Lo siento	*I'm sorry*
Adiós	*Goodbye*
Hasta luego	*See you later*

Expresiones comunes del aula

Abran los libros.	*Open your books.*
Cierren los libros.	*Close your books.*
Entreguen sus papeles.	*Turn in your papers.*
Escriban.	*Write.*
Saquen sus cuadernos.	*Take out your notebooks.*
Siéntense.	*Sit down.*
¿Cómo se dice... en español?	*How do you say ... in Spanish?*
¿Cómo se escribe...?	*How do you write ...?*
¿Puedo ir al baño?	*Can I go to the bathroom?*
¿Puede repetir, por favor?	*Could you repeat, please?*
¿Puedo usar...?	*Can I use ...?*
¿Qué significa...?	*What does ... mean?*

Órdenes para hacer las actividades

Adivina	*Guess*
Busca	*Look for*
Clasifica	*Classify*
Compara	*Compare*
Completa	*Complete/Fill in the blanks*
Comprueba	*Check*
Contesta	*Answer*
Decide	*Decide*
Describe	*Describe*
Descubre	*Discover/Find out*
Dibuja	*Draw*
Elige	*Choose*
Encuentra	*Find*
Escribe	*Write*
Escucha	*Listen*
Evalúa	*Evaluate/Grade*
Habla	*Speak*
Investiga	*Research*
Lee	*Read*
Organiza	*Organize*
Presenta	*Present*
Relaciona	*Relate. Connect*
Repite	*Repeat*
Representa	*Act out*
Señala	*Mark/Point out*
Une	*Match*

GLOSARIO INGLÉS-ESPAÑOL

A

a *un, una* 100
a lot *mucho* 216
a quarter past (time) *y cuarto* 16
a quarter to (time) *menos cuarto* 16
about *sobre* 80
to **accept** *aceptar* 185
to **accompany** *acompañar* 212
acting *la interpretación* 49
action *la acción* 224
activity *la actividad* 125
actor *el actor* 147
actress *la actriz* 49
ad *el anuncio* 97
to **add** *añadir* 255
adjectives *los adjetivos* 50
to **admire** *admirar* 37
admirer *el/la admirador(a)* 47
adorable *adorable* 59
adult *adulto(a)* 55
advanced *avanzado(a)* 80
adverbs of frequency *los adverbios de frecuencia* 128
adverbs of quantity *los adverbios de cantidad* 216
advice *el consejo* 55
aerial *aéreo(a)* 140
afternoon *la tarde* 69
age *la edad* 58
agenda *la agenda* 162
to **agree** *estar de acuerdo* 177
agreement *la concordancia* 100
aim *la mira* 78
airplane *el avión* 213
all *todo* 51
almost never *casi nunca* 128
also *también* 36
always *siempre* 128
Amazon River *el Amazonas* 212
Amazon (adjective) *amazónico(a)* 213
American *americano(a)* 185
an *un, una* 100
analysis *el análisis* 26
ancient *antiguo* 78
and *y* 18
the **Andes** *los Andes* 233
angel *el ángel* 77
angry *enojado(a)* 66
animal *el animal* 111
anybody *alguien* 66
anyone *alguien* 66
apartment *el apartamento* 96
appetizer *el primer plato* 214
apple *la manzana* 214
appropiate *apropiado(a)* 181
April *abril* 14
archeological *arqueológico(a)* 252
archipelago *el archipiélago* 136
arrival *la llegada* 32
to **arrive** *llegar* 75
art (subject) *Arte* 16
art *el arte* 47
artwork *la obra* 47
artist *el/la artista* 46
as … as *tan… como* 178
as well *también* 36
to **ask** *preguntar* 4
to **ask for** *pedir (e > i)* 244
aspect *el aspecto* 47
assault *el asalto* 140
associated *asociado(a)* 136
association *la asociación* 83
at *en* 110
At (time) … *A la(s)…* 16
at the end *al final* 230
athletic *atlético(a)* 48
attack *el ataque* 140
August *agosto* 14
aunt *la tía* 56
autumn *el otoño* 20
available *disponible* 97
avenue *la avenida, la calzada* 80
average *regular* 263
away from *a* 198
Aztec *azteca* 30

B

backpack *la mochila* 8
bacteria *las bacterias* 123
bad *malo(a)* 178
badly *mal* 66
bag *la bolsa* 227
bakery *la panadería* 224
banana *la banana* 214
banquet *el banquete* 55
bargain *la oferta* 222
to **bathe** *bañar* 137
bathroom *el baño* 96
bathtub *la bañera* 106
bay *la bahía* 89
to **be** *ser* 42 *estar* 68
(they) will be *estarán* 175
to **be able** *poder (o > ue)* 186
to **be acquainted** *conocer* 234
to **be afraid** *tener miedo* 66
Be careful! *¡Atención! ¡Cuidado!* 92
to **be cold** *tener frío* 66
to **be from** *ser de* 42
to **be hot** *tener calor* 66
to **be hungry** *tener hambre* 66
to **be in fashion** *estar de moda* 152
to **be (my) size** *ser de (mi) talla* 184
to **be … old** *tener… años* 58
to **be on sale** *estar en oferta* 152
to **be ready** *estar listo(a)* 208
to **be right** *tener razón* 164
to **be thirsty** *tener sed* 66
to **be too big/small** *Me queda grande/pequeño(a)* 184
beach *la playa* 77
beans *los frijoles* 214
beautiful *precioso(a)* 44 *bonito(a)* 48
because *por* 2 *porque* 152
bed *la cama* 106
bedroom *el dormitorio* 96
before *antes* 71
to **begin** *empezar (e > ie)* 158
behind *detrás de* 110
belt *el cinturón* 198
beside *al lado de* 110
best *el/la mejor* 22
better *mejor* 178
between *entre* 241
big *grande* 124
bigger (than) *mayor (que)* 76
biggest *el/la mayor* 76
bioluminescent *bioluminiscente* 89
bird *el pájaro* 185 *el ave* 196
birthday *el cumpleaños* 15
bitter *amargo(a)* 242
black *negro(a)* 174
blond(e) *rubio(a)* 48
blouse *la blusa* 166
blue *azul* 174
to **boil** *hervir (e > ie)* 255
book *el libro* 8
bookcase *la estantería* 106
boots *las botas* 166
border *la frontera* 76
to **border** *limitar* 194
bored *aburrido(a)* 66
borrowed *prestado(a)* 169

bottle *la botella* 232
boy *el chico, el niño* 38
boys and girls *los chicos* 38
boyfriend *el novio* 38
brave *valiente* 65
bread *el pan* 214
brick *el ladrillo* 146
to **bring** *llevar* 124 *traer* 234
brother *el hermano* 38
brothers *los hermanos* 38
brunet(te) *moreno(a)* 48
building *el edificio* 96
burning *la quema* 197
bus *el autobús* 47
busy *ocupado(a)* 118
but *pero* 36
butcher's shop *la carnicería* 224
butter *la mantequilla* 214
to **buy** *comprar* 156
by *por* 136
Bye *Chao* 6

C

cake *la torta* 214
calendar *el calendario* 16
to **call** *llamar* 2
camera *la cámara* 124
can (to be able) *poder (o > ue)* 186
Canadian *canadiense* 26
canal *el canal* 195
cannon *el cañón* 140
canoe *la canoa* 134
cap *el gorro* 166
capital city *la capital* 76
car *el carro* 107
castle *el castillo* 140
cat *el gato* 56
category *la categoría* 166
to **cause** *causar* 227
cave *la cueva* 89
ceiling *el techo* 96
to **celebrate** *celebrar* 55
celebration *la celebración* 233
center *el centro* 76
central *central* 155
Central America *Centroamérica* 148
century *el siglo* 140
ceramics *la cerámica* 182
ceremony *la ceremonia* 55
chain *la cadena* 51
chair *la silla* 8
chalkboard *la pizarra* 8
challenge *el desafío* 30
to **change** *cambiar* 235
cheap *barato(a)* 184
cheese *el queso* 262
chef *el/la chef* 244
chicken *el pollo* 214
Chinese *chino(a)* 241
chocolate *el chocolate* 2
to **choose** *seleccionar* 231
chore *la tarea* 57
Christmas *la Navidad* 233
cilantro *el cilantro* 228
cinnamon *la canela* 255
circle (street) *la glorieta* 77
circular *circular* 133
citizen *el/la ciudadano(a)* 136
city *la ciudad* 32
civil *civil* 80
civilization *la civilización* 80
class *la clase* 16
classic *clásico(a)* 231
classmate *el/la compañero(a)* 53
classroom *el salón de clase* 8
clean *limpio(a)* 232
to **clean** *limpiar* 116
clear *claro(a)* 81
to **clear the table** *limpiar la mesa* 232
climate *el clima* 99
clock *el reloj* 10
to **close** *cerrar (e > ie)* 158
close to *cerca de* 110
closed *cerrado(a)* 156
closet *el armario* 106
clothing *la ropa* 166
clove *el clavo* 255
clue *la pista* 117
coast *la costa* 137
coffee *el café* 208
cognate *el cognado* 25
to **coincide** *coincidir* 256
cold *frío(a)* 242
to **collect** *coleccionar* 73
color *el color* 174
colorful *colorido(a)* 94
to **combine** *combinar* 241
to **come back** *volver (o > ue)* 186
comfortable *confortable* 132 *cómodo(a)* 178
common *común* 61
communication *la comunicación* 177
community *la comunidad* 39
comparison *la comparación* 178
to **compete** *competir (e > i)* 244
complete *completo(a)* 212
computer *la computadora* 8
concentration *la concentración* 115
concept *el concepto* 141
conclusion *la conclusión* 127
condition *el estado* 64
consumer *el/la consumidor(a)* 185
to **contain** *contener* 186 *llevar* 220
context *el contexto* 62
to **continue** *continuar* 256
convent *el convento* 255
conversation *la conversación* 34
to **cook** *cocinar* 224
cool *fresco(a)* 27
corn *el maíz* 214
correspondence *la correspondencia* 226
to **cost** *costar (o > ue)* 186
cost of living *el costo de la vida* 187
Costa Rican *costarricense* 26
cotton *el algodón* 174
to **count** *contar (o > ue)* 186
country (nation) *el país* 76
couple *los novios* 38
course (in a meal) *el plato* 119
courtesy *la cortesía* 6
cousin *el/la primo(a)* 56
craftsmanship *la artesanía* 219
creative *creativo(a)* 48
credit card *la tarjeta de crédito* 184
to **cultivate** *cultivar* 215
cultural *cultural* 76
culture *la cultura* 37
cup *la taza* 232
curious *curioso(a)* 47
currency *la moneda* 185
customer *el/la cliente(a)* 156
to **cut** *cortar* 224
cute *lindo(a)* 164

D

dad *el papá* 38
daily *diario(a)* 256
dance *el baile* 55 *la danza* 65

E

F